ÍNDICE

ÁNGELES QUE CURAN

EILEEN ELIAS FREEMAN

ÁNGELES
QUE CURAN

EDICIONES OBELISCO

Si este libro le ha interesado y desea que le mantengamos informado de nuestras publicaciones, escríbanos indicándonos qué temas son de su interés (Astrología, Autoayuda, Ciencias Ocultas, Artes Marciales, Naturismo, Espiritualidad, Tradición) y gustosamente le complaceremos.

Colección La Aventura Interior
Ángeles que curan
Eileen Elias Freeman

1.ª edición: mayo de 1995
2.ª edición: septiembre de 1995

Título original: *Angelic Healing*
Portada de Ricard Magrané
Traducción de Montse Porti
© by Eileen Freeman, 1994 (All rights reserved)
This edition is published by arrangement with Warner Books, Inc.,
New York
© 1995 by Ediciones Obelisco, S. L. (Reservados todos los derechos para
la lengua española)
Edita: Ediciones Obelisco, S. L.
Pedro IV, 78 (Edif. Pedro IV) 4ª planta 5ª puerta 2ª Fase
08005 Barcelona - España
Tel. (93) 309 85 25, Fax (93) 309 85 23
Castillo, 540, Tel. y Fax 771 43 82
1414 Buenos Aires (Argentina)

Depósito Legal: B. 37.972 - 1995
I.S.B.N.: 84-7720-432-2

Printed in Spain

Impreso en España en los talleres de Romanyà/Valls, S. A.
de Capellades (Barcelona)

Honra al médico en atención a sus servicios, porque también a él lo creó el Señor. Pues de Dios procede el arte de curar, y del rey recibirá regalos.

El Señor creó de la tierra los remedios, el hombre sensato no los desprecia. Con ellos el médico cura y quita el dolor, de manera que la salud se extienda sobre la faz de la Tierra.

Hijo, en tus enfermedades no te impacientes, sino suplica al Señor y él te curará.

Apártate del pecado, lava tus manos y limpia tu corazón de todo pecado.

Ofrece incienso y una ofrenda de flor de harina, y generosos sacrificios según tus medios. Después recurre al médico, porque también a él lo creó el Señor; y no se aparte de ti, porque necesitas de él, pues hay veces que la salud depende de sus manos. Porque también ellos rezan a Dios para que les conceda éxito en dar alivio y conservar la vida.

Eclesiástico 38, 1-14

Éste es el Corazón Angelical. Es el símbolo que utilizo para todo. Las alas nos recuerdan que nuestros corazones están destinados a volar con los ángeles. El halo nos indica que una luz sanadora nos envuelve en todo momento. Y, lo más importante de todo, el corazón siempre está abierto, porque si cierras tu corazón no permitirás que el amor llegue a ti ni podrás darlo a los demás. Los corazones de los ángeles siempre están abiertos. Haz que el tuyo también lo esté.

PREFACIO

*Si no nos comprometemos a buscar a Dios,
nunca seremos capaces de establecer una relación fructífera con nuestros ángeles.*

Cuando en 1992 escribí *Touched by Angels* dije que,
en mi opinión, éstas eran las palabras más importantes
del libro. Ahora que he escrito un segundo libro sobre
ángeles, reafirmo esta opinión.

Touched by Angels trataba de la forma en que suele
iniciarse la amistad con nuestro ángel de la guarda y de
cómo esta relación afecta —y cambia— nuestras vidas.
En este libro conté varios ejemplos sorprendentes de
personas de todo tipo —hombres, mujeres, niños, individuos de cultura y estilos de vida diferentes— que
aceptaron la amistad de sus ángeles y a partir de entonces experimentaron un gran progreso en sus vidas.

Los ángeles quieren ser nuestros amigos. Son nuestros compañeros en el viaje de la vida por este planeta
cuyo amor, luz y sabiduría puede enriquecer nuestras
vidas enormemente. Quieren compartir con nosotros
y ayudarnos a crecer hacia el único destino espiritual

que es el nuestro. Su guía y apoyo son maravillosos, y debemos alegrarnos y dar gracias por ello.

Y nuestro agradecimiento va —ante todo y en primer lugar— hacia la Fuente de la que procedemos tan-to los ángeles como nosotros. Los ángeles en sí no son esta Fuente. No son divinos, aunque ellos, como nosotros, son inmortales. Si sus rostros brillan con una luz que no es terrenal es porque están llenos de la Luz única. En ellos no hay nada que apague esa Luz; son lentes de aumento que captan una fracción de la gloria y la concentran para que nosotros podamos verla, incluso como la ven ellos.

Los ángeles, como ya he dicho, son nuestros amigos, no nuestras herramientas. No podemos utilizarlos como lo hacemos con un abrelatas, para acceder a lo que hay dentro. Conocen todas nuestras pequeñas trampas y las evitan fácilmente. A veces pienso que el mayor pecado en nuestro egocéntrico mundo es la forma en que utilizamos a personas y cosas para alcanzar nuestros objetivos.

Los ángeles tampoco son nuestros criados personales a quienes podemos dar órdenes. Sirven a Dios, que es Amor, y la única agenda que conocen es el plan divino.

Desgraciadamente, parece que cuando algo realmente maravilloso sale a la luz —como la labor de los ángeles en nuestras vidas— siempre aparecen aquellas personas que intentan hacer negocio con ello. Afirman que pueden prometer una solución rápida, la iluminación instantánea. Aprovechando el creciente interés de la gente por los ángeles y por recibir más información acerca de ellos, vemos que se ofrecen algunos productos y «servicios» que no son más que necedades inventadas por puros charlatanes o algo peor.

Algunas de estas empresas garantizan que pueden ponerse en contacto con el ángel de una persona. Otras venden objetos que, según dicen, sirven para lo mismo. Y, por supuesto, a cambio exigen considerables sumas de dinero. Y por si fuera poco, algunas revistas poco fiables han empezado a publicar historias de ángeles que difícilmente resultan creíbles.

Es importante que aquellas personas interesadas en los ángeles no se dejen estafar por promesas engañosas e historias inverosímiles. Es preciso evaluar las promesas y ofertas de este tipo basándonos en lo que sabemos que es cierto sobre la naturaleza y los objetivos de los ángeles.

Por ejemplo, no hace mucho recibí un folleto de algo que se autodenominaba Asociación Astrológica de California, donde se incluía un apartado sobre ángeles. Según este folleto, podemos hablar con los ángeles hasta quedarnos afónicos, pero no nos escucharán a menos que dirijamos nuestras oraciones directamente a «una imagen auténtica» de nuestro ángel, en cuyo caso podemos ordenarles que hagan cualquier cosa por nosotros, incluso ganar la lotería, encontrar a la pareja perfecta, etc. Casualmente, la asociación ofrecía este tipo de imagen «auténtica»: un medallón de mal gusto a un precio nada barato.

También recibí una oferta de una mujer que se dedicaba a la numerología y afirmaba estar especializada en ángeles. Normalmente sus servicios costaban 250 dólares, pero durante un cierto tiempo sólo costaban 125 y, si recomendaba sus servicios a otras personas, me daría 25 dólares por cada cliente que le proporcionara. También me dijo que yo era un ángel al mismo nivel que el vicepresidente Gore, y que el presidente Clinton también podía aspirar a ser un ángel. Sólo para que quede constancia de ello, no lo soy.

A principios de 1993, un grupo llamado Biblioteca del Coleccionista de Illinois también me ofreció *El Libro del Coleccionista de Ángeles* y envió publicidad a los miembros de las dos asociaciones nacionales de coleccionistas. Hasta el momento no conozco a nadie que haya rellenado su cupón de pedido.

Otra mujer ha estado enviando cartas personalizadas ofreciendo una Ventana Sobrenatural de 240 horas y comprometiéndose a enviar a los compradores un equipo reparador de rayos cósmicos que, según afirma, es necesario para que la mayoría de la gente pueda ver y oír a sus ángeles. Cuando hayan recibido este equipo, los compradores aprenderán a «eliminar los obstáculos de sus corrientes cósmicas», lo cual permitirá que los regalos que ellos mismos elijan se ingresen en su cuenta corriente espiritual.

Además, varios médiums «garantizan» contactar con ángeles por otras personas, normalmente por una elevada suma de dinero.

Todas estas personas se dedican a comerciar con nuestro intenso e innato anhelo de Dios y nuestro destino final como hijos de Dios de llegar a ser perfectos, llenos de amor, luz y gozo, para que en la próxima dimensión podamos ver a Dios cara a cara y continuar creciendo y evolucionando más allá de todo lo que podamos imaginar aquí en la Tierra. Y dada la naturaleza de la sociedad occidental, se tiende a desear una «solución rápida» con demasiada frecuencia. Algunas personas piensan: «Si no puedo conseguir la iluminación instantánea a través de otra persona, ¿por qué tendría que molestarme en perder tiempo meditando, rezando e intentando eliminar las tinieblas de mi vida y vivir amando y sirviendo a los demás?» Les aseguro que no funciona.

Y como si no bastara con los vendedores de ángeles, recientemente aparecieron varios artículos en una revista publicada por un supermercado sobre una enfermera que supuestamente fotografió por primera vez a un ángel que apareció en el jardín de un hospital para curar a niños enfermos de cáncer, y la NASA grabó música angelical en el espacio exterior. También se ha dicho que el actor Michael Landon, que interpretó el papel de ángel en la serie televisiva *Autopista hacia el cielo* y que murió de cáncer, era precisamente un ángel que había sido enviado a la Tierra.

Esta historia me recuerda otra que vi en una revista hace aproximadamente un año. Se publicaba la foto de un bebé que supuestamente había nacido con alas de ángel. «¡Mi pequeño ángel!», exclamaba la madre del bebé. Según aquel artículo, el bebé tenía entonces nueve meses, y las alas empezaban a moverse por cuenta propia. «¿Quién sabe cuánto falta para que realmente empiece a volar?»

Les recomiendo encarecidamente que no se dejen engañar por estas cosas. Recuerden que los ángeles siempre están con nosotros, pero sólo se manifiestan ante nosotros cuando Dios así lo desea. No podemos forzarlo ni tampoco debemos intentarlo. Cuanto más dediquemos nuestras vidas a Dios, con amor y alegría, luz y paz, y al servicio de los demás, más cerca de nosotros estarán nuestros ángeles y más sentiremos su presencia y apoyo para ayudarnos a mejorar nuestras vidas.

Y ésta es la verdad.

EILEEN ELIAS FREEMAN
Diciembre de 1993

AGRADECIMIENTOS

La palabra *agradecimientos* todavía me parece tan inadecuada como cuando escribí *Touched by Angels*. Si pudiera cambiar el encabezamiento de esta página diría: «Inmenso e infinito amor y gratitud», pero creo que mi editor tal vez se opondría a esta forma, e incluso al contenido. Así pues, seré convencional (por esta vez).

Quiero expresar mi agradecimiento de todo corazón a:

En el plano divino

A Jesús, al que venero igual que a Dios, que me ha salvado de la oscuridad y me ha mostrado el increíble destino de los hijos e hijas de Dios: «¡Que en presencia de los ángeles eleve mi plegaria hacia ti!»

En el plano angelical

Naturalmente, en primer lugar quiero dar las gracias a Enniss, mi querido ángel de la guarda y amigo, cuyos consejos han sido amables y enérgicos, serios y divertidos. Te quiero.

A Rafael, jefe de Enniss en el orden de los ángeles de la guarda, que vela por la curación de la Tierra y de las almas que habitan en ella. Bendigo a Dios por tu inspiración y tu ayuda mientras escribía este libro, y rezo para que todas las personas que lo lean pidan a Dios que te envíe a todos los rincones del planeta para llevarles la luz y la sanación divina que todos necesitamos.

A Tallithia, mi ángel de la memoria, que me ayudó a recordar más sobre la sanación que he experimentado en mi vida de lo que jamás creí que fuera capaz. Gracias por tu paciencia, querido ángel.

A Kennisha, mi ángel defensor, cuya luz disipa las tinieblas. Que mi agradecimiento se escuche de un extremo al otro del cielo.

En el plano humano

A Jana, Michael, John, «Pak» y «Annaliese», que tuvieron la amabilidad de permitirme utilizar sus historias de sanación para este libro, que lo dieron todo de sí mismos hasta que lloramos de gozo maravillados por el amor de Dios.

A John Ronner, autor de *Do You Have a Guardian Angel?* y *Know Your Angels*, cuya amistad, apoyo y consejo han sido una gran bendición en mi vida.

A Bruce Lancaster y a todo el personal de la biblioteca Rose Memorial de la Universidad de Drew, por dedicar su tiempo a ayudarme a encontrar el material que necesitaba, cuando yo ni siquiera era una estudiante de la universidad.

A Andy Lakey, mi querido amigo, cuyo ángel tanto me ha ayudado a escribir este libro y *Touched by Angels*.

Gracias a ellos he comprendido mejor el poder y la energía de los ángeles, su firmeza y devoción, sin mezclar conceptos irrelevantes como sexo, raza, cultura y otras características humanas que debemos ignorar para poder apreciar la verdadera naturaleza de los ángeles.

A los cientos de personas que me escribieron después de publicar *Touched by Angels* para compartir su amor, su sabiduría y sus propias historias de amor y sanación angelical. Os agradezco vuestras cartas de todo corazón. Me han llenado de gozo y me han inspirado plegarias de agradecimiento desde que empezasteis a escribir.

A toda la maravillosa gente de Angel Watch Network, cuya plegarias y llamadas telefónicas me han permitido terminar este libro, especialmente a Darlene McCullough, porque las vitaminas que me regaló me dieron mucho más que simplemente energía física, y a Dolores Devine, cuya preocupación siempre agradeceré.

Os deseo paz y amor a todos en vuestra búsqueda de Dios y los ángeles.

1

SANACIÓN ANGELICAL

*Y se le apareció un ángel del cielo reconfor-
tándolo.*

Lucas 22:43

—Tiene cáncer, señora Freeman, un cáncer muy grave
—me dijo el doctor con aire triste—. Oficialmente no
tendremos los resultados de las pruebas hasta mañana,
pero quiero que esté preparada. Soy ginecólogo desde
hace veinte años, y todos los signos son inequívocos.
El cuerpo del útero está claramente afectado, es proba-
ble que el cuello también lo esté, y podría ser que el
cáncer ya se hubiera extendido hacia la cavidad abdo-
minal a través de las paredes del útero. No sabremos la
gravedad de la situación hasta que operemos. Lo siento
mucho.

Cualquier persona que en alguna ocasión haya oído
las terribles palabras «tiene cáncer» sabrá cómo me
sentí en 1986 cuando el doctor se sentó junto a mi
cama en el hospital para darme la fatídica noticia. De-

cir que me quedé anonadada sería un gran eufemismo. En la empresa del sector de la educación en la que trabajaba acababan de ascenderme, mi vida transcurría felizmente, cada vez hablaba y escribía más sobre ángeles y era el único apoyo de mi madre, que se había quedado viuda cinco años antes. No era un buen momento para cambios radicales, o al menos eso pensaba.

El mundo se derrumbó bajo mis pies. Pedía ayuda a gritos, llorando desconsoladamente. «No puede ser que eso me esté pasando a mí», me quejaba, mirando a mi alrededor con la esperanza de encontrar a la persona con la que el doctor hablaba realmente.

En tan sólo tres segundos, una multitud de pensamientos cruzaron mi mente, todos ellos horribles e impregnados de miedo y pesimismo: «¿Qué le pasará a mi madre si yo muero? ¿Hasta cuándo debo vivir? ¿Debo hacer testamento o...?»

No estoy acostumbrada a vivir con miedo, como ya sabrán aquellos que hayan leído mi primer libro, *Touched by Angels*. En él describí mi encuentro con mi ángel de la guarda cuando tenía cinco años y vino a consolarme tras la muerte de mi abuela y me ayudó a eliminar los temores que invadían mi vida. Una vez que el ángel se hubo marchado, me di cuenta de que ya no tenía miedo de nada, y lo que menos temía era la muerte.

Pero ahora, mientras me sentaba en la cama llorando y sintiendo frío, tenía miedo. El terror ante un futuro desconocido o la falta de futuro se desplomó sobre mí como una avalancha y me enterró bajo toneladas de hielo. «Vas a morir, vas a morir», repetía una horrible y burlona voz en mi oído. En aquel momento era la única voz que podía oír y aniquilaba todo lo demás. Me sentía como si estuviera a punto de explotar. Durante unos instantes perdí el conocimiento.

Lo que recuerdo a continuación es que sentí un pin-chazo en el brazo. Giré la cabeza y vi a una enfermera con una aguja hipodérmica en la mano.

—¿Qué es eso? —pregunté con la voz titubeante por la tensión.

—Sólo es para ayudar a bajar la presión sanguínea —respondió—. Se disparó cuando el doctor hablaba con usted. Vuelva a tumbarse, por favor; seguramente se siente un poco mareada.

Por un momento había olvidado al doctor y su terrible mensaje. Cáncer. Cáncer. Cáncer. Aquella palabra resonaba dentro de mi cabeza y los medicamentos no hicieron nada para aliviar el dolor que atormentaba mi alma. Lo único que consiguieron fue dejarme tan débil físicamente que sólo trabajaba mi cerebro. Ni siquiera controlaron la adrenalina que circulaba por mi organismo. Era como si el cáncer fuera un tigre de dientes afilados y yo fuera una solitaria mujer de las cavernas que intentaba correr más que él, viéndome obligada a avanzar por los caminos circulares y sin salida de mis venas y arterias.

Estaba tumbada en la cama, sintiendo frío y miedo. El frío era más que físico: era preternatural. Más adelante recordé que era como el frío que se apoderó de mí la noche en que Enniss vino a consolarme. En aquella ocasión también estaba sentada en la cama y me sentía como si estuviera dentro de una cámara frigorífica o de una planta procesadora de carne, impregnada por el olor del hielo, la sangre y la carne rancia. Incluso el aire era glacial.

En aquel momento, las desagradables voces volvieron con mucha fuerza, con su mensaje de miedo y angustia. De nuevo me invadieron imágenes futuras producidas por la razón (y precisamente por eso eran más aterradoras).

Más tarde oí aquella débil y calmada voz en mi corazón que reconocí como la voz de Enniss, mi ángel de la guarda que, por la gracia de Dios, vela por mí desde que fui concebida.

—No tengas miedo, Eileen —me dijo—. No hay nada que temer.

Eran las mismas palabras que había oído cuando, siendo una niña, vi a Enniss por primera vez. Eran las primeras palabras positivas que había oído desde que el doctor me comunicó la mala noticia, y me aferré a ellas igual que una mujer a punto de ahogarse se habría aferrado a un salvavidas. Acabaron con la supremacía de las voces de miedo que me estaban atormentando y fui capaz de hablar con Aquel a quien necesitaba sentir cerca de mí.

—¡Dios mío, por favor, ayúdame! —grité con fuerza mientras mis ojos se llenaban de lágrimas—. ¡No sé qué hacer!

Siempre estaré agradecida a Enniss por haber repetido aquellas palabras de mi infancia en aquel momento, porque interrumpieron la conversación que me veía obligada a mantener con las fuerzas del miedo y me dieron la oportunidad de hacer aquello que tanto necesitaba: rezar y sentirme cerca de Dios para restaurar el equilibrio natural. Antes de notar la presencia de Enniss, que irrumpió enérgicamente, los espíritus del miedo eran tan abrumadores que ni siquiera podía escapar de ellos para alcanzar a Dios.

De hecho, hasta que no oí las cariñosas y sabias palabras de Enniss y dirigí mi corazón hacia Dios, ni siquiera pude reconocer la verdadera naturaleza de aquellas terribles voces: eran la malicia de aquellos ángeles caídos que intentan, por odio y envidia, arruinar nuestras vidas con el miedo. Habían elegido el momento en que supe que tenía cáncer para descargar sobre mí todo el miedo que pudieron con la esperanza de apartar mi corazón lejos de Dios.

Evidentemente, Enniss era capaz de derrotarlos a todos, igual que todos los sirvientes de Dios. Su delicadeza al recordarme la palabra de Dios, la palabra que yo siempre había considerado verdadera, era justamente lo que necesitaba en aquel momento. Fui capaz de darme cuenta de que las voces no provenían de mi interior, no eran el reflejo de un temor oculto en lo más profundo de mi alma. Al contrario, eran voces externas, los susurros de otros seres, malignos, envidiosos, amargados e inmensamente tristes.

En el momento en que vi la luz y comprendí que aquellas voces eran las de ángeles caídos, me recuperé de la parálisis espiritual que se había apoderado de mí. Fui capaz de enfrentarme a las voces de la muerte. Les hablé con el apoyo de mi fe, recordándoles que soy la hija de Dios y diciéndoles que conocía su juego y no estaba dispuesta a seguir escuchando ni una palabra más. Estaba furiosa porque habían invadido los límites de mi conciencia en un momento en que yo era muy vulnerable, y eso fue lo que les dije.

—¡Pobres criaturas! —añadí (no hay nada que les ponga más nerviosos que un ser humano sienta lástima por ellos)—. ¿No tenéis nada mejor que hacer que molestarme? ¡Conseguid una vida y dejad la mía en paz!

Habiendo sido educada en la fe cristiana, les dije que confiaba en Jesús, mi Salvador, y a menos que desearan mantener una conversación edificante sobre Él, no teníamos nada que decirnos y lo mejor que podían hacer era dejarme en paz.

Y así lo hicieron.

Cuando finalmente me libré de las voces, el estúpido miedo también desapareció y el único temor que quedaba en mí empezó a disiparse a medida que el exceso de adrenalina de mi organismo también disminuía. La desagradable y fría atmósfera también se desvaneció, y la habitación volvió a la normalidad. Suspiré aliviada.

—Querido Dios, gracias por enviarme a Enniss para recordarme que nunca debo tener miedo —recé agradecida—. Enniss, mi fiel ángel, gracias por ser tan bueno en tu trabajo —añadí.

—Es un placer; sabes que me encanta ser útil.

Un poco más tranquila, me senté en la cama y empecé a analizar mi situación. A pesar de que las voces ya no atormentaban mis oídos, todavía me daba un poco de miedo pensar que dentro de mí algunas células maliciosas se afanaban por multiplicarse, dividirse y sustituir a las células normales. Yo no experimentaba ninguna diferencia.

Debería haber notado las señales de alarma que había experimentado durante varios meses, pero siempre había padecido fuertes síntomas premenstruales, por no hablar de los dolores menstruales, e incluso síntomas postmenstruales (si es que existe algo así). Jamás pensé que podría ocurrirme a mí.

—¿Por qué no me avisaste, Enniss? —le pregunté en tono de reproche.

—Lo hice, pequeña, pero no me prestabas atención —respondió—. Pero después de todo estás aquí. ¿No es eso lo que realmente importa?

—Lo siento, tienes razón, como siempre —me disculpé.

Traté de pensar con serenidad lo que debía hacer, y decidí que no se lo diría a mi madre hasta que tuviera los resultados de las pruebas. Padecía del corazón, y yo tenía miedo de los efectos que podía provocarle la noticia de que su única hija tenía cáncer.

Entonces me di cuenta: el doctor no estaba completamente seguro de que tuviera cáncer; sólo dijo que según su opinión profesional parecía cáncer.

Me sentí aliviada. «Seguro que se equivoca», pensé. «No se trata de cáncer, debe de ser otro problema grave. Probablemente puede curarse con el tratamiento adecuado. No creemos problemas innecesarios. De hecho, ¿por qué no pedir un milagro? Seguro que Dios enviaría a Enniss para hacerlo por mí.»

Así pues, pedí a Dios que se produjera un milagro. Con toda la humildad y el fervor que pude reunir, le pedí que me curara de la enfermedad que padecía para poder seguir viviendo mi vida como lo había hecho hasta entonces.

—Piensa en mi madre —le pedí a Dios—. No querrás que la deje sola. ¿Qué haría si me pasara algo?

Seguí implorando, alegando todos los motivos que se me ocurrieron para que Dios realizara un milagro en mi vida y curara mi cuerpo de lo que pudiera hacerme enfermar.

—Cuando realicen las pruebas, haz que los resultados sean negativos —le rogué—. Por favor, Dios mío, responde a mi plegaria.

Y Dios respondió a mi plegaria. La respuesta fue «no», un no cariñoso, pero a pesar de todo un no.

Los resultados de las pruebas fueron positivos.

Recuerdo el momento en que recibí la llamada. Me habían dado de alta del hospital y, estaba tan segura de que todo saldría bien, que había acudido a un congreso de ciencia ficción al que ya tenía planeado asistir. Estaba en mi habitación en el hotel cambiándome para la fiesta de disfraces cuando sonó el teléfono.

—Eileen... —la temblorosa voz de mi madre me dijo todo lo que debía saber sin necesidad de más palabras. El corazón me dio un vuelco.

—¡Oh, Dios mío! —exclamé.

Las piernas me fallaron y me desplomé sobre la cama. Todas las ilusiones de ganar el premio por el mejor disfraz de «Señor del tiempo» de doctor Who se esfumaron de mi mente como el aire de un neumático pinchado.

Al final asistí a la fiesta y traté de pasarlo bien, pero no pude. No podía pensar, no podía comer y permanecí sentada inmóvil como una estatua. Pero volver a casa no habría servido de nada. Era fin de semana y no hubiera podido empezar a preparar lo necesario, como solicitar la baja por enfermedad y acordar una fecha para ingresar en el hospital. Era mejor intentar permanecer ocupada.

Así pues, confié en Dios para que me ayudara a pasar el fin de semana y le pedí a Enniss que rezara por mí para ser fuerte y valiente.

—Quédate a mi lado, querido ángel —le pedí—. Querido Dios, ayúdame a sentir tu amor y protección hacia mí. No es porque tenga mucho miedo, sino porque me siento muy sola.

Finalmente terminé de vestirme para la fiesta de disfraces y bajé a la planta baja sintiéndome terriblemente abandonada. Ni siquiera el hecho de ganar un tiranosaurio rex hinchable de dos metros de alto me ayudó a animarme. El dinosaurio de plástico, con sus hileras de dientes, sólo consiguió recordarme al monstruo que crecía dentro de mí. Al final lo cedí a un Spock de doce años a cambio de un vídeo de tomas falsas de *Star Trek*. La idea de llevarme a un monstruo a mi habitación y que me estuviera mirando fijamente durante toda la noche era más de lo que podía soportar.

Después del concurso de disfraces, me senté en un sofá en el vestíbulo del hotel sin darme cuenta de que varios clientes normales miraban con curiosidad mi túnica de terciopelo fucsia con mangas de piel de cordero y mi collar dorado de un metro de longitud. Un futuro desolador aparecía ante mí: operación, dolor, meses de convalecencia y la falta de garantías de que los médicos pudieran extirpar el cáncer por completo. Las voces del miedo empezaron a susurrar de nuevo, y esta vez todavía me transmitían un mensaje más sobrecogedor.

—Todo es culpa tuya —me decían—. Si hubieras perdido peso cuando eras más joven, tal vez el cáncer no se habría desarrollado. Si hubieras ido al médico con más frecuencia, lo habrían diagnosticado antes.

En aquel momento empecé a preguntarme si Dios me estaba castigando por no haber cuidado mejor de mi salud. Me daba miedo pensar que el Dios cariñoso que conocía y en el que creía podía estar «allí arriba» esperando la oportunidad de castigarme por crímenes cometidos en el pasado. Notaba que mi fe vacilaba y empecé a sentir mucho miedo.

De repente me di cuenta de que había una mujer sentada a mi lado. No me había dado cuenta de su presencia hasta entonces. Era una mujer alta, de mediana edad, de piel color café con leche e iba impecablemente vestida. Hablaba con una especie de acento caribeño que nunca he podido identificar más concretamente.

—¿Quieres hablar de ello? —fueron las primeras palabras que pronunció. Hablaba en tono amable y sus labios dibujaron una leve sonrisa.

—¿Qué? ¿Cómo? Yo... —fue mi inarticulada respuesta.

—Tienes algún problema, ¿verdad? Siempre me doy cuenta de estas cosas. Soy así. Te he visto en el concurso de disfraces y enseguida he sabido que necesitabas ayuda. Estabas más blanca que una hoja de papel. ¿Por qué no tomamos un poco de té mientras hablamos de ello?

Se levantó y me tendió la mano, y yo la seguí torpemente como un perrito. Entramos en el restaurante, ella con su pulcro traje y yo con el aspecto de una criatura de otro planeta, y nos sentamos a una mesa ubicada en un rincón.

—Tomaremos té a la menta —le dijo al camarero. (El té a la menta es mi bebida caliente favorita, pero no tenía ni idea de cómo lo sabía aquella mujer; no la había visto nunca hasta entonces.)

—Ahora, querida, cuéntame tus problemas —me dijo con voz amable.

Y eso hice, llorando, sollozando y derramando mi té.

—¿Qué voy hacer? —pregunté finalmente.

Ella me miró fijamente y tomó mis manos entre las suyas.

—Vas a confiar en que Dios te ayudará a superarlo y vas a mantener los ojos bien abiertos y los oídos bien atentos para no perderte las buenas lecciones que aprenderás —me dijo seriamente—. Dios no envía enfermedades graves a la gente sin ton ni son. Cuando sucede, sucede por algún motivo. Intenta aprender todo lo que puedas de ello. Pide ayuda y acéptala dondequiera que la encuentres. Dios te curará, aunque tal vez no será el tipo de curación que tú esperas. No te atormentes intentando descubrir por qué tienes cáncer. Y no tengas miedo.

Me quedé mirándola con la boca abierta. Había tanta seguridad y convicción en su amable voz que me estremecí.

—Hace muchos años —le dije—, tuve una experiencia en la que alguien me dijo que jamás debía tener miedo. Yo creo que fue mi ángel de la guarda.

Mientras le contaba todo lo referente a aquel episodio de mi infancia en el que vi a mi ángel de la guarda, ella asentía transmitiéndome una sensación de sabiduría y ánimos.

—No debes culparte por tu enfermedad —me dijo mientras me servía más té—. Y es importante que no te dejes llevar por el miedo. El miedo retrasa la curación más que ninguna otra cosa. Recuerda aquel salmo que dice: «El ángel del Señor acampa en torno a sus fieles y los salva». Ahora debo irme —continuó mientras se levantaba—, pero estaré por aquí todo el fin de semana por si necesitas hablar con alguien.

Y, después de darme una cariñosa palmadita en la espalda, se marchó.

Me quedé allí sentada jugueteando con la taza de té, con sus alentadoras palabras de esperanza resonando dentro de mi cabeza. De pronto me vino a la mente una vieja canción gospel cuya letra era el versículo de los salmos que ella había citado. Aquella canción era tan potente que, sin darme cuenta, empecé a canturrearla una y otra vez. Una vez más, las voces del miedo habían sido acalladas y desaparecieron.

Le hice una señal a la camarera y le pedí la cuenta.

—No tiene que pagar nada —me dijo sonriendo—. El director opina que su disfraz es tan original que el té corre a cargo de la casa.

—Bueno, gracias, pero al menos debería pagar el té de... el té de mi amiga —le respondí. De pronto me di cuenta de que no le había preguntado su nombre.

—No me había fijado en que hubiera alguien con usted —dijo la camarera—, pero la verdad es que no prestaba mucha atención. Creí que había venido sola. De todos modos, el té es una gentileza de la dirección.

Todavía estaba tan preocupada y angustiada que no presté atención a sus palabras. Cuando ya estaba en mi habitación y acababa de guardar la cinta de vídeo que había conseguido a cambio del monstruo de plástico, se me ocurrió:

«Esa mujer ni siquiera me ha dicho su nombre.»

«Sabía que estaba profundamente afligida incluso antes de que yo se lo dijera.»

«No sólo me consoló, sino que además me ofreció ayuda práctica: un mensaje de Dios consecuente con el tipo de ayuda que Dios nos proporciona.»

«Me recordó de nuevo que no debía tener miedo.»

«Cuando hubo cumplido con su trabajo, se marchó tan repentinamente que ni siquiera la vio nadie del restaurante.»

—Enniss, ¿eras tú disfrazado? —pregunté con voz dudosa, saliendo de mi tristeza hacia un mundo lleno de luz.

Sentí que su respuesta era negativa, pero no del todo. Entonces oí que, en mi corazón, él me decía: «Recuerda que el Sanador de Dios también te quiere».

Yo sabía que Rafael es el ángel cuyo nombre significa «sanador de Dios», y recordé cuando, en 1979, me di cuenta de su presencia angelical en mi vida.

—Querido Dios, ¿me has enviado a Rafael con tu mensaje de curación? —pregunté—. Gracias por esta señal de amor y preocupación.

Y también di las gracias a Rafael, aunque por alguna razón siempre he preferido llamarle Asendar.

(No creo que la forma en que llamamos a nuestros ángeles tenga mucha importancia, sino que lo que realmente importa es que les llamemos de alguna forma. Después de todo, los nombres como Miguel, Gabriel y Rafael no son más que nombres humanos. Los ángeles no tienen pulmones ni laringe, y su lenguaje debe de ser totalmente distinto a cualquier sistema de comunicación humano.)

Dejé de asistir a los actos del congreso y empecé a escribir las palabras que aquella mujer había compartido conmigo: «Confía en Dios. Presta atención a las lecciones que puedes aprender. No te culpes a ti misma. Pide ayuda. Nunca tengas miedo».

Aquellas palabras ya eran una forma de sanación. Sentí que recuperaba las fuerzas perdidas desde que mi madre me comunicó la noticia. Todavía estaba preocupada por el futuro, pero me sentía amada y protegida, no sólo directamente por Dios, sino también por los ángeles enviados por Él para ayudarme.

—Quédate a mi lado, querido Enniss, y ayúdame a tener fe en Dios. Ayúdame a permanecer despierta y atenta para que no me pierda nada de lo que necesito aprender. Y lucha conmigo contra las voces del miedo. Gracias por tu ayuda, querido servidor de Dios.

Hablé con mi guardián celestial con profunda sinceridad y me puse a disposición del Sanador de Dios.

El fin de semana todavía fue bastante duro aunque, gracias a la ayuda de mis ángeles, no me dejé llevar tanto por la preocupación. Apenas me dejaron sola durante unos minutos. Cuando finalizaba un acto, alguien se acercaba a mí, iniciaba una interesante conversación y después me acompañaba al acto al que me dirigiera a continuación. La mayoría de esas personas eran desconocidas para mí, y jamás volví a verlas. Los ángeles de Dios las enviaron para que se cruzaran en mi camino y, como yo todavía estaba un poco trastornada, me dejé acompañar. En tres ocasiones, aquellos extraños repitieron las mismas palabras que me había

34

dicho la mujer que compartió un té conmigo: «Confía en Dios. No tengas miedo. No te culpes. Estamos aquí para ayudarte. Intenta comprender lo que puedes aprender gracias a todo esto».

Todo era muy extraño, pero yo necesitaba que me repitieran aquellas palabras. De lo contrario, el mensaje de Dios a través de Rafael no habría surtido efecto. (Algo parecido me ocurrió en diciembre de 1992, cuando perdí mi trabajo y me sumí en una profunda crisis [véase el capítulo cuarto].) Creo sinceramente que algunos de los extraños que se acercaron a mí durante aquel congreso, que charlaban conmigo y me llevaban a comer o se sentaban a mi lado en las conferencias como si me conocieran de toda la vida, eran ángeles camuflados. Estoy convencida de ello no sólo porque todos me transmitieron el mismo mensaje, sino también porque ninguno de mis amigos que asistieron al congreso, y que se movían en aquel círculo desde mucho antes que yo, conocía a ninguno de aquellos extraños. Nunca volví a verlos en ninguna de las reuniones a las que asistí posteriormente. Además, a pesar de que después vi fotografías del congreso que incluían a todos los asistentes, ninguno de aquellos ángeles secretos aparecía en las imágenes.

Cuando se acabó el fin de semana, me di cuenta de que nunca había depositado toda mi confianza en el amor y la protección de Dios. Siempre había sido muy independiente, pero durante el congreso aprendí que todos dependemos los unos de los otros y que necesitar a los demás es muy positivo y maravilloso. Era consciente de ello desde el punto de vista intelectual, por supuesto, pero nunca lo había experimentado en mi corazón. Cuando finalizó el congreso, incluso los actores británicos invitados sabían que me iba a someter a una seria operación quirúrgica, y todos firmaron un póster para mí. Su apoyo fue maravilloso. Recuerdo que interiormente cantaba aquella canción que popularizó Barbra Streisand, «People», que dice que las personas que necesitan a otras son los seres humanos más afortunados del mundo. Aquella canción era una terapia curativa por sí misma. Creo que ésa era la lección que debía aprender en el congreso.

Cuando regresé a casa, me resultó más difícil dominar el miedo. Mi madre estaba aterrorizada y yo estaba preocupada por ella, porque tenía problemas de corazón. En el congreso había sido capaz de no pensar en la realidad de los médicos, las pruebas y la enfermedad, pero ahora todo se me venía encima y me veía obligada a aceptar la gravedad de la situación.

Para empeorar todavía más las cosas, mi compañía aseguradora me comunicó que no pagarían mi operación debido a un detalle técnico referente a la afiliación hospitalaria de mi médico. Fueron necesarios tres días gobernados por la angustia, y el apoyo de mi jefe en el trabajo, para que la compañía de seguros conviniera en cubrir los gastos de mi operación.

Entre tanto, me realizaron varios análisis y me sometieron a pruebas para determinar todo tipo de detalles, desde el funcionamiento de mis riñones hasta la localización de los vasos sanguíneos en la zona donde debía practicarse la intervención. Todo esto hizo que mi ansiedad se intensificara todavía más. Sin embargo, siempre que las voces del miedo empezaban a hablar, alguien se dirigía a mí y me decía: «No tengas miedo».

En una ocasión fue un radiólogo, en otra fue una enfermera que se llamaba Quiñones, de quien nadie había oído hablar jamás. Lo escribí todo en mi Diario para poder recordarlo.

Dos días antes de ingresar en el hospital, el médico me recetó unos antibióticos muy fuertes que me hicieron enfermar. Ni siquiera conseguí curarme con una medicación suplementaria. Estaba tan enferma que el médico decidió que tendría que posponer la operación porque estaba muy deshidratada. Yo sabía que no podría soportar tener que esperar a conseguir otra fecha para la operación. Cada vez me sentía más débil para luchar contra las voces del miedo.

—Querido Dios —recé—, aunque no cures mi cáncer, te pido por favor que al menos envíes a tu ángel Rafael para que me cure esta reacción provocada por los antibióticos para que ya no tenga que esperar más antes de la operación. ¡No puedo soportarlo más!

Esta vez la respuesta de Dios fue afirmativa. Tan pronto como finalicé mi oración, empecé a sentir que me invadía una cálida sensación, primero a través de las manos, después se extendió hacia los hombros y finalmente recorrió todo mi cuerpo. Los espasmos del estómago disminuyeron y los violentos calambres desaparecieron gradualmente. Experimenté aquella paz interior que siempre asocio con la presencia de mi ángel de la guarda. Al cabo de una hora pude tomar unas galletas y un poco de té. Al final del día, mi cuerpo había vuelto a su estado «normal».

Consideré que esta curación era una señal de Dios conforme estaba siguiendo el camino correcto; y al día siguiente ingresé en el hospital, donde la angustia volvió a apoderarse de mí. Más análisis y pruebas desagradables, deshumanizadoras, aterradoras. El doctor me recordó que, aunque las probabilidades eran pocas, podía morir en el quirófano. Firmé la autorización con mano temblorosa.

Durante la noche, antes de la operación, no podía dormir. Había rezado, había recibido los sacramentos de la Iglesia y había intentado con todas mis fuerzas entregarme confiada al cariño de Dios, pero aproximadamente a la una de la madrugada las únicas voces que oía eran las voces del miedo. No voy a repetir las terribles cosas que dijeron. Sólo sé que lloraba aferrada a mi almohada, temblando de miedo, intentando evitar que las voces penetraran en mi interior, donde sabía que se apoderarían de mí y me destruirían.

—¿Puedo ayudar? —dijo una voz cerca de mí.

Sentí una cálida mano sobre mi hombro y al darme la vuelta vi a un enfermero sentado en mi cama. Estaba tan pendiente de mi angustia que no le había oído entrar.

—¡Tengo tanto miedo! —exclamé con un grito de desesperación—. ¡No va a salir bien, voy a morir! ¡Seguro que el cáncer ya se ha extendido demasiado! No voy a...

—Cálmese —dijo el hombre en tono pausado—. Nada de lo que está diciendo es verdad. Existe un propósito en todo lo que sucede. Lo único que tiene que hacer es pasar por esto y aprender de ello. Pase lo que pase, Dios no la abandonará. No se rinda ante el miedo.

Me quedé mirándole con la boca abierta por el

asombro. ¡El mismo mensaje que había recibido durante todos aquellos días! ¿Era otro ángel?

Me sonrió y me acercó los pañuelos de papel y un vaso de agua.

—Aquí tiene, se sentirá mejor si se suena la nariz.

Y eso hice, tranquilizándome a medida que pasaban los minutos. Cuando finalmente recuperé la serenidad, miré a aquel hombre.

—Supongo que no es un ángel ¿verdad? —le pregunté tímidamente.

Recuerdo que me miró de un modo extraño.

—Supongo que sí —respondió, y los latidos de mi corazón empezaron a acelerarse—. Después de todo —añadió—, a veces a los enfermeros y enfermeras nos llaman ángeles piadosos, ¿verdad?

Sonrió y, estirando el brazo, apagó bruscamente la luz del cabezal de mi cama.

—Será mejor que intente dormir un poco —dijo—, o si no despedirán a su verdadero ángel.

En aquel momento me di cuenta de lo agotada que estaba. Había intentado mantenerme despierta porque tenía miedo de dormirme, igual que la noche en que, siendo una niña, mi ángel de la guarda vino a librarme del miedo a la muerte. Ahora ya no tenía miedo. Cerré los ojos por un instante, sólo por unos segundos; cuando los abrí de nuevo el enfermero había desaparecido, pero en su lugar había un resplandor, una luz que no era de este mundo y que no se parecía a lo que vi siendo niña. Sólo lo vi por un momento, y después se desvaneció.

¿Qué acababa de ver? ¿Era un enfermero del turno de noche compasivo y sabio, o era un auténtico ángel?

¿Lo había imaginado todo? Tal vez me había quedado dormida y lo había soñado. ¿Podía ser que hubiera visto ángeles en sueños? No sabía qué había pasado.

—¿Eras tú, Enniss? ¿O era Assendar? —pregunté.

—Duérmete, hija. Dios te quiere, y también nosotros, los que servimos a Dios. No temas nada.

Y en aquel momento, la angustia desapareció por completo. Me sentía como si estuviera nadando en un océano de paz, flotando en un mar de amor. Me embargó una serenidad tan intensa que supe que, por la gracia de Dios, había vencido a las voces del miedo. Ya no tenían poder para molestarme de nuevo, las había derrotado y no volverían más. Incluso supe que, igual que mi espíritu se había curado porque había intentado escuchar las palabras que Dios me había enviado a través de sus mensajeros divinos, los ángeles, mi cuerpo también se curaría.

Supe que mi ángel guiaría las manos del cirujano, y me dormí.

Lo que pasó a continuación es algo cuya autenticidad no puedo garantizar, pero en el fondo de mi corazón estoy convencida de que los ángeles tuvieron algo que ver con ello. El motivo de que no esté completamente segura es que, cuando me desperté por la mañana, la enfermera me administró un calmante que me dejó completamente aturdida. Era para reducir la ansiedad. Intenté explicarle a la enfermera que no estaba nerviosa en absoluto, pero ella insistió y dejé que me inyectara el calmante. (Después me contó que me había pasado la siguiente hora desplomada sobre la cama, con los ojos cerrados y cantando canciones folk a pleno pulmón.)

Sin embargo, cuando vinieron los asistentes para llevarme al quirófano, era bastante consciente de lo que ocurría a mi alrededor. Saludé a los dos cirujanos, mi ginecólogo y un cirujano especializado en casos de cáncer difíciles. No tuvieron ningún inconveniente en que rezara y nos pusiera a todos los que estábamos allí en manos de Dios. Después me tumbé y, en silencio, le pedí a Dios que mis ángeles permanecieran muy cerca de mí...

... Y lo siguiente que recuerdo es empezar a recobrar el conocimiento en una habitación débilmente iluminada. Por un momento me sentí tan ligera, tan libre, tan llena de una luz cargada de energía que me sorprendí. Sabía que acababa de pasar por una intervención quirúrgica muy seria.

«No deberías sentirte tan bien», me dije a mí misma sonriendo.

Y entonces me di cuenta de que ya no estaba en mi cuerpo. De hecho estaba mirando mi cuerpo desde una altura de aproximadamente un metro. Vi un rostro muy blanco con una máscara de oxígeno y el resto de mi cuerpo cubierto con sábanas y mantas blancas. Era una imagen tan monocromática que parecía una fotografía en blanco y negro.

Me miraba a mí misma desde arriba, sorprendida, pero no asustada. Era como si pudiera mirar a través de las mantas, a través de mi propio cuerpo, y viera todo lo que me habían hecho. Tenía la sensación de que aquella era la única forma de poder experimentar y comprender lo que había pasado.

Y mientras miraba, un ser de luz, cuyos colores contrastaban fuertemente con el blanco de hospital que

41

me rodeaba, se acercó a mí desde detrás de la cama. No vi ninguna forma concreta, como cuando era niña, sino que instantáneamente supe que era Rafael, el Sanador de Dios. El ser de luz abrazó mi cuerpo con su resplandor; de hecho, era como si mi cuerpo absorbiera la luz. Y vi que mi rostro se relajaba y las comisuras de mis labios dibujaban una sonrisa. Después sentí que mi conciencia volvía a mi cuerpo y noté una enorme pesadez. Nunca había visto tan claramente cómo nuestro espíritu está atado a nuestro cuerpo. Parecía como si yo fuera un bloque de cemento animado. Ni siquiera podía abrir mis ojos físicos.

No sé si en algún momento llegué a abrirlos o si lo que pasó a continuación sólo sucedió en mi corazón, pero vi la luz angelical que me rodeaba. Me pareció una luz brillante de color verde esmeralda, con destellos amarillos y dorados, y me transmitía una sensación de tranquilidad tan intensa que me entraron ganas de cantar. Y canté, aunque no como lo hice cuando la enfermera me administró el calmante. En lugar de eso, era como si cantara a través de ondas que no eran sonoras, sino de luz. Sentí como si cantara colores en lugar de notas. Más adelante me di cuenta de que aquella experiencia tenía varios puntos en común con otra que me había ocurrido años antes y que describí en *Touched by Angels*.

Y lo más extraordinario de todo fue que el ser angelical, que yo sabía que era Rafael, cantaba conmigo canciones que iban más allá de las palabras, las «lenguas de los ángeles» de las que habla san Pablo en la Primera Epístola a los Corintios 13, 1. Al principio quería permanecer callada y escuchar la música que era mucho más exquisita de lo que la mía podría llegar a ser jamás. Pero mientras dudaba, una luz brillante como un diamante púrpura resplandeciente me cegó y una voz dijo: «¡Canta!»; y canté. Me pareció que Rafael curaba algo dentro de mí, y que nuestras plegarias (porque sentía que alabábamos a Dios) llegaban al Altísimo como un torrente de colores musicales.

Entonces oí que Rafael cantaba un color que yo no había oído jamás, y el ángel pintó una imagen en mi mente que cantaba «Dios te ha curado» en polifonía a veinte voces.

Luego volví a dormirme y me pareció que pasaban horas antes de despertar de nuevo.

Sé que cuando ocurrió todo esto todavía me encontraba bajo el efecto de la anestesia. Sé que me estaban administrando calmantes para el dolor por vía intravenosa, lo cual provoca estados de alteración mental. Sé que nadie puede confirmar lo que experimenté. Ni siquiera soy capaz de describir cómo es la música coloreada o cuánta luz pueden emitir las notas que curan.

Pero estoy convencida de que la visita de Rafael no fue una alucinación provocada por las drogas. Creo que Dios envió al arcángel de la curación no sólo para provocar un efecto benéfico en mi cuerpo, sino también para abrir mi mente y mi espíritu a la comprensión de la forma en que Dios trabaja a través de los ángeles para curarnos.

Después de recuperarme, dediqué mucho tiempo a reflexionar sobre aquella experiencia, y me pareció que se ajustaba a lo que yo sé sobre la labor de los ángeles en nuestras vidas. En *Touched by Angels* ya expliqué ampliamente las características que permiten reconocer a los ángeles, pero diré que, durante aquel encuentro, el ángel me transmitió amor y seguridad, claridad e iluminación, y mi fe en Dios se reafirmó y fortaleció. Aquella experiencia me ayudó a crecer espiritualmente y me ayudó a ser consciente de lo agradecida que debía estar a Dios por todo lo que había recibido. Los resultados de este tipo son los que se esperan cuando Dios nos envía un ángel para transmitirnos un mensaje.

Cuando desperté, mi médico estaba de pie junto a mi cama.

—Su situación era muy grave, señora Freeman —empezó—. Hemos tenido que practicar una histerectomía. Pero al parecer el cáncer no se había extendido más allá de las paredes del útero y hemos podido extirparlo en su totalidad.

—Ya lo sabía —murmuré medio dormida—, pero gracias por decírmelo.

Lo sabía; la visita de Rafael confirmó que me curaría. Y volví a dormirme.

Pasé dos semanas en el hospital para recuperarme de la operación. Había permanecido seis horas en el quirófano, mientras en el laboratorio practicaban biopsias a varios órganos y tejidos. Durante una semana me sentí incapaz de hacer nada y me administraron calmantes durante todo el día.

Pero estaba aprendiendo mucho, tal como los ángeles que Dios me envió me recordaron que debía hacer. Aprendí acerca de la paciencia, la compasión, la bondad. Estaba aprendiendo acerca de la amistad. Estaba aprendiendo cuán grande era el amor que mi madre sentía por mí. Estaba aprendiendo lo positivo que puede ser depender de la fuerza de los demás cuando no basta con la propia.

También estoy convencida de que mis ángeles me dieron consejos que me ayudaron a curarme con más rapidez, como por ejemplo, en el caso de la comida del hospital.

Durante los primeros tres días después de la operación me alimentaron por vía intravenosa y, a la mañana siguiente, una enfermera me trajo una bandeja.

—Ahora ya puede tomar líquidos —me dijo con una sonrisa.

Levantó la tapa y me mostró una taza de té, un poco de caldo de pollo, zumo de arándanos y una especie de jarabe de color rojo que removió con una cuchara.

Tenía mucho hambre pero... oí la voz de mi ángel que interiormente me decía: «Tú no quieres tomar eso. No te conviene; no te ayudará a curarte».

—¿Por qué no? —pregunté sorprendida.

Después de todo, era comida de hospital. Se suponía que tenía que sentarme bien. Pero Enniss no respondió, lo cual significaba que Dios esperaba que hallara la respuesta por mí misma.

La enfermera dejó la bandeja y yo me quedé mirando aquellos líquidos rojizos y marrones. Entonces recordé algo que había leído cuando me preparaba para la operación: el azúcar y la sal resultan difíciles de digerir para un estómago que ha recibido muchos antibióticos. El caldo de pollo era bastante salado, y el zumo y el jarabe contenían mucho azúcar. Cuando no hay las bacterias adecuadas en el estómago y los intestinos, el azúcar se descompone y se convierte en gases dolorosos. Yo estaba muy segura de no querer experimentar aquella presión bajo mi herida.

Así pues, cuando la enfermera volvió le dije que no quería tomar nada. Ella pensó que todavía no tenía hambre, pero cuando también rechacé la comida al mediodía, recibí la visita del dietista. Le expliqué mi razonamiento.

—¿Podrían traerme caldo de verdad en lugar de un preparado tan salado y un poco de zumo de piña o papaya sin azúcar? —pedí.

Me costó un poco, pero al final el dietista accedió a proporcionarme líquidos sin sal ni azúcar. Y los resultados fueron muy positivos: todas las enfermeras me habían asegurado que los pacientes que se encontraban en mi situación padecían de problemas intestinales, pero yo no tuve ningún tipo de problema de ese tipo. Los consejos de mis ángeles previnieron los problemas y me permitieron curarme con mayor rapidez y facilidad.

Cuando escribo estas palabras ya han pasado más de siete años desde aquella operación, pero siempre recordaré las lecciones sobre curación que me enseñaron los ángeles enviados por Dios. Estos principios configuran la simple y hermosa premisa de este libro: Dios quiere que todos nosotros alcancemos la plenitud y nuestros ángeles trabajan constantemente para que seamos conscientes de la necesidad de curarnos y descubramos las formas en que podemos mejorar nuestras vidas:

«Confía siempre en Dios, porque la Fuente de todo lo que existe es inteligente, nos ama, se preocupa por nosotros y quiere que alcancemos la plenitud. Los ángeles de Dios nos ofrecen ese amor, ese apoyo y esa purificación.»

«Date cuenta de que en este planeta no somos más que estudiantes y tenemos mucho que aprender, incluyendo todo lo relacionado con la curación y purificación. Nuestros ángeles pueden ser unos maestros fantásticos, si tenemos la humildad de escuchar.»

«Nunca te culpes a ti mismo por los aspectos de tu vida que deban mejorarse. Acepta tu responsabilidad cuando sea necesario y aprende a perdonarte a ti mismo, pero no permitas que nadie, humano o ángel caído, te haga sentir culpable. El Dios del universo te quiere tanto que lo divino se convirtió en humano encarnado en la persona de Jesús, e incluso te proporciona la protección de los ángeles. ¿Qué más se puede pedir?»

«Pide ayuda cuando necesites curarte, incluyendo la ayuda de profesionales del mundo de la medicina y el apoyo de familiares y amigos. Acepta la ayuda de Dios, provenga de donde provenga, y la ayuda que los ángeles de Dios traen de la Fuente.»

«Nunca te rindas ante el miedo. ¡Nunca! Es lo que más puede retrasar la curación, incluso más que el sentimiento de culpabilidad. Hay muchos tipos de emociones y pensamientos que pueden afectar a nuestro cuerpo y nuestro estado de ánimo, pero el miedo no sólo puede paralizar el cuerpo, sino también la mente y el alma, y puede provocar que nos encerremos tanto en nosotros mismos que luego no seamos capaces de pedir ayuda al exterior o aprender lecciones muy importantes.»

Yo he intentado seguir estos simples principios en

mi vida, y puedo dar fe de los frutos que he recibido a cambio. Estos principios, y las actitudes que he aprendido a asociar con ellos, han aumentado mi capacidad de comprender lo que mis ángeles me comunican en nombre de Dios. Como resultado, he aprendido más cosas de las que podría contar. Y creo firmemente que siguiendo estos principios que he aprendido podemos mejorar nuestras vidas, por la gracia de Dios y a través del ministerio de los ángeles.

2

CÓMO LOS ÁNGELES NOS AYUDAN
A MEJORAR NUESTRAS VIDAS

[Y Rafael dijo:] Dios me envió para curarte... Cuando estaba con vosotros, no estaba por mi propia voluntad, sino por la voluntad de Dios.

Tobías 12, 14. 18

Todos sufrimos. Es un hecho triste pero cierto. Ninguna persona de este planeta lo abandonará sin haber sufrido a lo largo de su vida. Ninguna persona de este planeta lo abandonará sin haber hecho sufrir a otra persona. Ésta es la mala noticia.

La buena noticia es que todos podemos ser curados y curarnos a nosotros mismos, a los demás y a nuestro planeta. Dios, la Fuente de todas las cosas, quiere que nos curemos y alcancemos la plenitud. Nunca se nos concibió como migas, sino como una rebanada completa.

Yo creo que la curación es una labor de equipo que nos implica a nosotros, al Dios que nos creó, a otros seres humanos, profesionales especialmente preparados que se preocupan por la salud, y a nuestros ángeles. Ninguno de ellos puede sustituir a los demás, excepto Dios. Todos tienen cualidades especiales. Por mi experiencia, considero que todos ellos son necesarios para conseguir la curación total.

Uno de mis textos favoritos sobre curación pertenece al libro de Jesús ben Sirac o Eclesiástico, capítulo 38. En él se nos recuerda que la curación requiere esfuerzo de nuestra parte, tanto externo, buscando ayuda profesional, como interno, huyendo de las tinieblas hacia la Luz:

Hijo, en tus enfermedades no te impacientes,
sino suplica al Señor y él te curará.
Apártate del pecado, lava tus manos
y limpia tu corazón de todo pecado.
Ofrece incienso y una ofrenda de flor de harina,
y generosos sacrificios según tus medios.
Después recurre al médico,
porque también a él lo creó el Señor;
y no se aparte de ti, porque necesitas de él,
pues hay veces que la salud depende de sus manos.
Porque también ellos rezan a Dios
para que les conceda éxito en dar alivio y conservar
la vida.
Él dio a los hombres la ciencia
para que se gloríe en sus maravillas.

Aunque en este pasaje en particular los ángeles no se mencionan, éstos han tenido un importante papel en la curación (ya sea de la mente, el espíritu, el cuerpo o

50

las relaciones) desde que la raza humana tiene constancia de sus visitas. Los ángeles comparten con nosotros los conocimientos y la sabiduría de Dios y nos ayudan a comprender nuestra necesidad de curarnos para que podamos buscar la ayuda apropiada. Pero ¿qué queremos decir cuando hablamos de ángeles?

Algunas personas creen que los ángeles sólo son pensamientos o fantasías, o los espíritus de otras personas que abandonaron este mundo y han evolucionado. Yo creo (y considero que tanto la teoría como la experiencia lo confirman) que los ángeles son otra raza de seres inteligentes y sensibles que habitan a nuestro alrededor pero que permanecen invisibles durante la mayor parte del tiempo. Creo que su invisibilidad puede deberse a varios motivos: a su propia naturaleza espiritual, tal vez, o a la limitación de la visión humana a ciertos espectros. Pero está claro que, cada vez con mayor frecuencia, se hacen visibles para nuestra raza.

Los ángeles tienen muchos más años que nosotros; de hecho, al parecer ya existían incluso antes de que la Tierra se formara a partir de las partículas de materia dispersas alrededor del Sol. Son criaturas sociales con personalidad, responsabilidades, objetivos y sentido de la organización. La suya es una sociedad pacífica donde no existe el mal de ningún tipo. Viven en un ambiente de amor y felicidad, porque su sociedad se basa en el corazón de lo divino.

Los ángeles sirven a Dios, y Dios es la fuente de la plenitud, la integración, la preservación, la salud y el crecimiento de todo lo que existe. Por esta razón los ángeles no se conforman con vivir en la perfección de su reino, sino que desean que nosotros también alcancemos la plenitud. Y eso es la curación: la búsqueda de la plenitud, no sólo para nuestro cuerpo, sino también para nuestra alma, mente, espíritu, relaciones y todo lo que nos rodea. La labor que realizan en nuestros cuerpos es la que se aprecia con mayor facilidad, pero para ellos es igualmente esencial e importante la curación de la mente y el espíritu, de las relaciones entre personas y naciones y de nuestro entorno.

¿Por qué los ángeles se preocupan tanto por nosotros que incluso invierten tiempo y esfuerzo en manifestarse? Después de todo, habitan en una sociedad perfecta, ¿por qué habrían de preocuparse por nuestros problemas?

Yo creo que es porque, desde el comienzo de la existencia de nuestra raza, los ángeles fueron nombrados guardianes de los humanos para que nos vigilaran constantemente, desde la concepción hasta que abandonáramos este mundo y entráramos en la dimensión donde viven ellos, que se designa con el nombre de cielo, paraíso o Reino de Dios. En parte, la razón de su existencia es ayudarnos a crecer y alcanzar la plenitud.

Los ángeles son nuestros compañeros de viaje: guías, ayudantes e incluso enfermeros. Considero que la profesión de enfermero está relacionada de una forma muy especial con la labor de los ángeles; no creo que el hecho de que se les llame «ángeles piadosos» sea una coincidencia. Los enfermeros y enfermeras dedican toda su atención a los demás, los cuidan y se preocupan por su bienestar, y eso es precisamente lo que hacen los ángeles.

Pero los ángeles no trabajan para nosotros sólo porque sea su «misión», por así decirlo, sino porque nos aman y saben que necesitamos ayuda. Quieren que nos curemos, crezcamos y evolucionemos. Y en mi opinión, necesitamos toda la ayuda que puedan ofrecernos. Los seres humanos de este planeta tenemos muchos problemas, y nuestro nivel de sabiduría actual es insuficiente para reconocer la necesidad de curación.

Como señala el Eclesiástico, cuando tenemos problemas de salud necesitamos aprovechar todas las oportunidades de sanación que se nos presentan, desde lo divino a los médicos. Pero al igual que la curación física, también necesitamos la sanación espiritual. Muchas personas se sienten espiritualmente incompletas. Sabemos que nuestro bienestar espiritual afecta a nuestro cuerpo y viceversa, y por eso no podemos ignorar esta parte fundamental de nosotros mismos. También tenemos graves problemas con nuestras relaciones; ahora más que nunca muchos matrimonios terminan en divorcios. Finalmente, hemos perdido el contacto con el planeta en que vivimos hasta el punto de que varias zonas están en peligro por culpa de nuestra mala utilización de los recursos naturales. Nuestro planeta necesita ser curado con urgencia.

Los ángeles quieren ayudar. Permanecen en un segundo plano desempeñando las funciones divinas que les han sido asignadas, vigilándonos a nosotros y a toda la vida de la Tierra. Pero su ayuda resulta más efectiva cuando somos conscientes de su existencia e intentamos trabajar en colaboración con ellos.

¿Cómo nos ayudan a curar los ángeles? En primer lugar, debo decir que no creo que se dediquen a atravesar las nubes para señalarnos con una varita mágica celestial. Son demasiado discretos para hacerlo. La inspiración que nos transmiten debe servir para ayudar a curarnos nosotros mismos y para animarnos a avanzar en el camino de la sanación. Además, los designios de Dios no son que los ángeles irrumpan en nuestras vidas, anulen nuestra libertad de elección e impongan la curación sobre nosotros. Después de todo, podemos y debemos buscar la curación a través de los demás aprendiendo a reconocer lo que nos resulta perjudicial.

Los ángeles trabajan a niveles muy básicos, curando la angustia más profunda del corazón humano: la sensación de que estamos solos en este mundo. Nos sentimos aislados y abandonados, y ese sentimiento no es necesario. Cada uno de nosotros tiene a su ángel de la guarda que trabaja con nosotros en la medida que se lo permitamos, y también contamos con el apoyo de otros ángeles que nos visitan en distintos momentos y situaciones en las que necesitamos su ayuda.

Gracias a estos compañeros celestiales nunca estamos solos, y cuanto más conscientes seamos de ello, más capaces seremos de curarnos del dolor más básico que existe: el dolor que nos embarga cuando nos sentimos solos, abandonados y apartados del resto de la humanidad. Yo sé que era una niña dominada por el miedo y la agorafobia, que se sentía muy abandonada antes de que mi ángel viniera a hacerme saber que nunca estoy sola, que los ángeles nos recuerdan el amor que Dios siente por nosotros.

Desde el momento en que hables con tu ángel por primera vez, ya nunca volverás a sentirte solo, porque nuestros ángeles siempre están con nosotros. Estés donde estés, mientras lees estas palabras, estás rodea-

54

do de ángeles. Tu habitación, tu despacho y tu jardín están llenos de presencias angelicales.

Y una vez que adquieras la seguridad de saber que tu ángel te quiere y te acompaña, tus relaciones con los demás pueden crecer y, si han empeorado, pueden mejorar.

Cuando trabajemos con nuestros ángeles en busca de la sanación, debemos comprender que ellos siempre desean que nos curemos. Sin lugar a dudas, su objetivo principal es que alcancemos la plenitud. Pero eso no significa que nuestra agenda sea la más apropiada ni tampoco que la sanación que nosotros deseamos sea la que más nos conviene en aquel momento.

Ante todo, la sanación siempre implica aprender muchas cosas. Recuerdo una ocasión en que estaba muy ocupada preparando una conferencia y salí para hacer unos recados. Había mucho tráfico y parecía como si todos los conductores inconscientes y despreocupados se interpusieran en mi camino sólo para fastidiarme. Cuando salí de la autopista todavía estaba furiosa con un tipo que me había cortado el paso. ¡Mi ego necesitaba urgentemente ser curado!

Salí del coche y sentí un fuerte dolor y tensión en la nuca y los hombros.

«¡Fantástico, justo lo que necesito!», pensé.

Recordé a mi ángel de la guarda, al que llamo Enniss, que debía preparar la conferencia y le pedí que aliviara aquel dolor para que pudiera concentrarme mejor. Pero no ocurrió nada, ni sensación de calor ni alivio del entumecimiento. Cuando volví a entrar en el coche todavía me resultaba difícil girar la cabeza.

Fue entonces cuando Enniss me recordó que me

impaciento demasiado cuando conduzco y, después de reflexionar sobre ello, me di cuenta de que yo misma me había creado aquel dolor en la nuca. Estaba demasiado ocupada, tensa y con prisas para darme cuenta. Así pues, dediqué unos minutos a relajarme y eliminar conscientemente mi resentimiento contra los demás conductores, reconociendo que mi mente necesitaba ser curada más que mi cuerpo. Y al finalizar, noté que ya no sentía aquella tensión tan fuerte en la nuca. Yo creía que en aquel momento necesitaba una curación física, pero Enniss supo lo que me convenía, y se lo agradecí.

Me he esforzado por llegar a conocer a Enniss, al menos un poco, durante más de cuarenta años. A lo largo de todo este tiempo me he beneficiado de su ayuda en muchas ocasiones, igual que nos sucede a todos con nuestro ángel de la guarda, tanto si somos conscientes de ello como si no.

Como ya he dicho antes, para alcanzar la curación a menudo tenemos que renunciar a nuestros planes y aceptar la voluntad de Dios. No creo que Dios nos haga enfermar para darnos «lecciones» sobre la vida. Tampoco creo que las enfermedades sean castigos enviados por un ser divino y vengativo. Un amigo mío tiene una camiseta donde se lee el equivalente de la frase «las desgracias ocurren» en varias religiones del mundo. Algunas son muy acertadas, otras divertidas, y algunas me hacen estremecer, especialmente la «católica» que dice así: «Si te ocurre una desgracia, es que lo mereces». Estoy segura de que en cualquier religión, incluyendo la mía, hay muchas personas que creen que esta frase es cierta, pero yo no lo creo así.

Sin embargo, considero que cuando contraemos alguna enfermedad física o cuando nos sentimos incompletos espiritualmente o en nuestra relación con los demás, la curación que Dios nos transmite a través de los ángeles no se limita a devolvernos al estado en que nos encontrábamos antes de caer enfermos. La sanación, como todos los mensajes de Dios, nos proporcionan valiosas enseñanzas, ya sea sobre el amor, la sabiduría, la serenidad, la paciencia, la aceptación, la rabia (la que nos ayuda a luchar para curarnos) o la humildad. La sanación nos sirve para avanzar en el camino de la vida. Creo que ésta es una de las razones por las que Dios nos transmite la sanación a través de los ángeles con tanta frecuencia: son enviados que nos comunican mensajes de sabiduría que nos ayudan a crecer. Son maestros.

Siempre he pensado que no debemos considerar las enfermedades físicas ni las heridas espirituales como acontecimientos terribles de los que debemos huir aterrorizados. Por lo que he experimentado a lo largo de mi vida, he aprendido que incluso nuestro dolor y nuestras enfermedades son una oportunidad para mejorar. Mientras buscamos la curación, ya sea por medios naturales o sobrenaturales, debemos mantener los ojos del espíritu bien abiertos para aprender todo lo que podamos.

Cuando iba a la universidad llegué a tener seis empleos diferentes a la vez para ganar dinero suficiente para subsistir. Dirigía los coros de tres iglesias, daba clases particulares de piano y enseñaba música en una escuela católica local, además de dar clases en el departamento de teología de Notre Dame. Evidentemente, también trabajaba para obtener el título de teología.

Un día cogí la gripe, una terrible gripe que me hacía sentir fatal, pero seguí con mi actividad normal intentando ignorarla. Cuando la fiebre desapareció, me atacó un resfriado tan fuerte que pensé que mi cabeza iba a estallar. Los medicamentos contra el resfriado provocan somnolencia, o sea que también decidí ignorarlos. Aquel resfriado me duró varias semanas y, cuando ya estaba a punto de desaparecer por completo, estaba tan débil que cogí una infección. Me vi obligada a guardar cama mientras un amigo del departamento de música venía a verme varias veces al día para hacerme sopa y atender mis necesidades. Era un ángel (en sentido figurado, por supuesto).

Sólo entonces, cuando estuve completamente enferma y me vi obligada a cancelar todas mis actividades durante un tiempo, pude oír a Enniss que me decía: «Demasiadas cazuelas para tan pocos fogones». Era una frase divertida, pero gracias a ella finalmente pude darme cuenta de que me había puesto enferma por ignorar ciertas lecciones de moderación. (Siempre he sido un poco impulsiva.) Así pues, intenté relajarme. Le pedí a Enniss que hiciera algo para curarme rápidamente, pero la respuesta fue rotundamente no.

—¿Qué hay de malo en curarse de la forma habitual? —preguntó Enniss.

Tardé una semana en poder levantarme de la cama. Al final tuve que dejar la mayoría de mis empleos y posponer los exámenes, pero las lecciones que aprendí sobre el orgullo, la vanidad y la autosuficiencia eran un tesoro incalculable.

Pedir la sanación

De todas las cosas que pedimos a Dios que haga por nosotros, probablemente la sanación es lo más común. Pero ¿cómo debemos pedir ayuda en este sentido? Cuando necesitamos ser curados (que es siempre, si consideramos la curación como plenitud), podemos actuar de varias maneras:

Podemos permanecer sin hacer nada y esperar que lo que sea desaparezca.

Podemos buscar la ayuda de otras personas cuya capacidad y conocimientos puedan satisfacer nuestras necesidades (profesionales del mundo de la salud).

Podemos pedir directamente a Dios que nos cure.

Podemos pedir a nuestros ángeles que actúen como intermediarios para obtener la curación de Dios.

Todos estos métodos, a excepción del primero, son formas útiles de afrontar la situación en la que nos encontremos.

Cuando deseamos curarnos, normalmente buscamos la ayuda de los demás. Cuando el problema que tenemos es de carácter físico, necesitaremos la ayuda de un médico que practique la medicina occidental tradicional o de alguien que practique otras disciplinas curativas. Acudimos a los conocimientos y la sabiduría de otra persona que comprende nuestra situación y sabe cómo podemos curarnos. En algunos casos el sanador nos administra medicamentos para el cuerpo, y en otras ocasiones medicamentos para el espíritu. Yo siempre he pensado que el mejor sanador es aquel que es capaz de aplicar ambos tipos de medicación, puesto que todo nuestro ser se ve implicado en la necesidad de curación.

Por supuesto, también podemos pedir a Dios que nos solucione de forma inmediata cualquier problema que tengamos o que nos conceda la sabiduría y la serenidad que necesitamos para curarnos nosotros mismos. Cuando considero que algún aspecto de mi vida necesita cierta dosis de curación, nunca pido nada directamente a Dios, excepto capacidad de comprensión y sabiduría. Siempre hay importantes lecciones que aprender, y a menudo nuestra principal necesidad es aumentar nuestra sabiduría para ser capaces de aprenderlas.

En la mayoría de los casos, Dios no realiza un milagro para solucionar las enfermedades y problemas de nuestra vida. En lugar de eso, Dios nos dirige hacia unos métodos de curación más corrientes. Esto es lo que me sucedió cuando supe que tenía cáncer. Dios dijo «no» cuando le pedí un milagro, y la curación se produjo a través de las manos de médicos, enfermeras y otros profesionales sanitarios competentes y comprensivos. Pero aunque Dios no sea nuestro médico, siempre nos curará del miedo, la angustia y la preocupación que con tanta frecuencia acompañan nuestra necesidad de sanación.

Considero que por encima de toda la ayuda espiritual que podamos recibir, incluyendo la de los ángeles, debemos hablar directamente a Dios, porque provenimos de Dios y a él regresamos. Compartir la vida divina es el destino al que todos debemos aspirar, al igual que los ángeles aspiran a sumergirse más profundamente en la Visión divina. ¿Cómo podemos tener la esperanza de conocer nuestro destino y comprender lo que motiva a los ángeles en todo lo que hacen si no buscamos a Dios?

Pedir la sanación a los ángeles es un poco más complicado que pedírsela a Dios o a otros seres humanos. No creo que los ángeles actúen como agentes independientes a la hora de curar. En ninguna de las ocasiones en que Enniss ha respondido a mis necesidades de curación he sentido que actuara de forma independiente y él mismo tomara la decisión de curarme. Siempre he sentido, como me sucede en todo lo que a él concierne, que su única preocupación es que la voluntad de Dios se cumpla en la Tierra tal como se cumple en el cielo.

Creo que los ángeles están al servicio de Dios, que su sociedad se centra en lo divino por completo y que dedican todos sus esfuerzos a cumplir la voluntad de Dios. Nuestros ángeles de la guarda conocen esta voluntad en la medida que concierne a cada uno de nosotros. Creo que, hasta cierto punto, puede ser que incluso conozcan el futuro de las personas que están bajo su custodia. Dios comparte con cada ángel toda la sabiduría y los conocimientos necesarios para guiarnos en el camino de la plenitud.

Cuando pido ayuda a Enniss, le pido que sea mi compañero en el camino para cumplir la voluntad de Dios y curar mi vida. No suelo pedirle cosas concretas como: «Por favor, transforma mi relación con tal persona, que siempre me mira por encima del hombro, y haz que cambie de actitud», porque de esa forma no se consigue aprender nada. Le pido que sea mi maestro y que me haga partícipe de las revelaciones que Dios le haya hecho a propósito de mi vida.

Creo que, al igual que cualquier fiel servidor, mi ángel de la guarda goza de una considerable libertad a la hora de realizar su trabajo. Estoy convencida de que Enniss no pide permiso a Dios a cada momento para amarme, ayudarme o enseñarme. Él ya sabe por naturaleza lo que debe hacer y cómo lo debe hacer. Pero creo que su «corazón» está tan en armonía con Dios que jamás haría nada que no fuera lo mejor para mí. Tengo fe en que la ayuda que me proporciona Enniss no es tanto su ayuda, sino la de Dios, que recibo a través de Enniss.

Quiero decir que no me da miedo utilizar el término *mediador*. Muchos cristianos asocian esta palabra exclusivamente con Jesús, de quien se dice en el Nuevo Testamento que es el Mediador entre Dios y la humanidad. Pero la palabra mediador simplemente significa alguien en medio que actúa, y en ese sentido los ángeles son mediadores. De hecho, los ángeles son calificados de mediadores por Job, que sufría y siguió sufriendo porque no aprendió lo que debía aprender. La diferencia entre los ángeles y los mediadores humanos es que éstos intervienen en enfrentamientos, problemas y peleas, mientras que los mediadores angelicales tratan con la paz, la comprensión, la amabilidad y la curación.

¿Cómo curan los ángeles?

En las curaciones que se realizan a través de nuestros ángeles intervienen muchos factores.

Milagros

Actualmente se tiende a utilizar la palabra *milagro* sin pensar en lo que realmente significa este término. Según la tradición cristiana, que parece haber acuñado la palabra, un milagro es un acontecimiento que requiere la transgresión de alguna ley natural. Es mucho más que algo poco corriente o difícil.

El problema de calificar algunos sucesos como milagros es que no comprendemos lo que realmente son las leyes naturales. Puede ser que algunas curaciones espontáneas que hemos llamado milagros estén relacionadas con algún poder curativo oculto en nuestro cuerpo y alma que todavía no conocemos. Decenas de miles de personas se han curado de graves enfermedades en Lourdes, el santuario de Francia donde la Virgen María se apareció a Bernadette Soubirous hace más de un siglo; sin embargo, después de exhaustivos exámenes científicos, la Iglesia Católica sólo ha aceptado algunos casos, relativamente pocos, como milagros. De hecho, se tiene constancia de más de doscientas apariciones de la Virgen que se produjeron durante el siglo pasado, pero la Iglesia Católica sólo ha declarado como fiables ocho de estas apariciones.

¿Significa esto que no creo en milagros? No, creo profundamente en los milagros. El Dios que ha creado todas las leyes de la naturaleza tiene la capacidad de transgredirlas. En el Nuevo Testamento encontramos muchos milagros que realizaron Jesús, los seguidores de Jesús en su nombre e incluso ángeles. La curación instantánea de un hombre ciego de nacimiento, la resurrección de un hombre que murió y fue enterrado durante tres días, la curación de un hombre enfermo de lepra... ¿qué pueden ser estos sucesos aparte de milagros?

Lo que intento decir es lo siguiente: si nuestro ángel curara un hueso roto de forma instantánea, ¿sería un milagro? Tal vez lo sería desde nuestro punto de vista, porque según las leyes naturales que nosotros conocemos no es normal que un hueso roto vuelva a su estado anterior en tan sólo unos segundos; pero para un ángel las leyes naturales significan algo distinto, porque su naturaleza es diferente a la nuestra. Al parecer, los ángeles son capaces de manipular la materia igual que nosotros manipulamos el aire de nuestros pulmones para hablar. Cuando un ángel nos cura, por muy sorprendente que pueda parecernos, tal vez sólo esté actuando de acuerdo con su naturaleza.

He entrevistado a varias personas que han sido curadas por ángeles y pocos casos se considerarían como milagros, ni siquiera según los criterios humanos. Pero todas las curaciones fueron verdaderas maravillas, y «maravilla» es realmente el significado de la raíz de la palabra *milagro*. El término latín *mirare* significa «mirar maravillado o con admiración». ¿Qué más podemos hacer cuando somos testigos de una curación? Cuando una enferma terminal invadida por el odio y la amargura recibe la visita de un ángel y se transforma en una enferma terminal cariñosa y llena de paz y sabiduría, ¿no es un prodigio? Cuando un hombre desesperado que está a punto de matarse ve a un ángel y a partir de entonces dedica el resto de su vida a ayudar a los demás, en cierto modo ¿no es un milagro?

Sanación directa

La sanación directa sólo se diferencia de la realizada a través de un milagro porque corresponden a grados de curación diferentes. Yo creo que las sanaciones directas dependen sobre todo de las condiciones en que se encuentre nuestro cuerpo físico y de circunstancias externas. La sanación de problemas relacionados con la mente, el espíritu y las relaciones personales no se puede efectuar de forma directa porque primero es necesario que crezcamos o aprendamos algunas cosas. Pero los ángeles pueden eliminar y eliminan trastornos físicos que se interponen en nuestro camino.

El tacto, el calor y la luz son los tres elementos que los ángeles suelen utilizar con más frecuencia como vehículos para curarnos directamente.

Hace algunos años, una amiga mía sufría terriblemente porque se rompió un brazo y no se le curaba. Lo había llevado escayolado durante casi seis meses y el dolor seguía siendo tan fuerte que se sentía muy desanimada. La opinión de los médicos era desesperante: ya no podían ayudarla más.

—Incluso en el supuesto de que llegara a curarse, siempre sería muy débil —sentenció el médico.

Mi amiga siempre había sido una mujer muy activa. Tenía varios hijos y su afición favorita era la pintura.

Una noche, después de que los niños se hubieran acostado, se sentó en el comedor con su marido e intentó leer, pero el dolor era tan intenso que no pudo contener las lágrimas.

—Jesús —rezó—, no puedo soportarlo más. Por

favor, ¿no podrías enviar a tu ángel para curarme? ¡Te lo agradecería tanto!

Entonces sintió que su estado de ánimo cambiaba, y experimentó una sensación de calma y tranquilidad tan intensa que la depresión y el miedo desaparecieron.

—Lo consideré como una señal de que me curaría —me dijo.

Y como su actitud frente al dolor se había curado, fue capaz de soportarlo por muy intenso que fuera y no permitió que la desesperación la embargara de nuevo.

Al día siguiente por la noche, mientras volvía a estar sentada en el comedor rezando en silencio, de repente sintió una oleada de calor en el brazo roto.

—Era como si alguien me hubiera tocado con un dedo caliente y el calor se extendiera por todo el brazo —dijo.

Y cuando la sensación de calor desapareció, se dio cuenta de que ya no le dolía. Movió los dedos y dobló la muñeca y notó que todo iba bien.

Dos días después, sin haber vuelto a sentir dolor, acudió al médico de nuevo. Las radiografías mostraron que el hueso se había soldado por completo y el médico le quitó la escayola. Desde entonces, mi amiga está convencida de que su ángel le curó el brazo.

Podría contar muchas historias parecidas sólo cambiando el nombre por el de Jack, Teresa o Loreen y el problema por una jaqueca, un tobillo torcido o un fuerte resfriado. En la mayoría de los casos, los testigos explican que notaron calor, que les tocaban, les abrazaban, y en lo más profundo de su corazón supieron que se había producido una curación. Los resultados de su fe se manifestaron rápidamente.

Por los casos que conozco, parece que las curaciones con luz angelical están más relacionadas con problemas de la mente y el espíritu que del cuerpo. Es como si el ángel se diera cuenta de que asociamos luz y claridad de ideas, y que la sensación de bañarnos en luz nos permitiera aceptar nuestra situación con mayor serenidad y comprensión. Cuando la luz interviene en curaciones de tipo físico, normalmente también se transmite algún tipo de mensaje espiritual que nos ayuda a ver la curación física desde otro punto de vista diferente.

Curación indirecta

Por mi experiencia, normalmente los ángeles nos ayudan más a curarnos a nosotros mismos que a curarnos directamente. La misión del ángel es ser nuestro guardián espiritual, enseñarnos, conducirnos a Dios y compartir con nosotros las cualidades espirituales necesarias para conseguirlo. En una ocasión padecí un fuerte resfriado que parecía no querer terminar nunca. El dolor de cabeza era tan intenso que me sentía incapaz de hacer nada y me pasaba el día en la cama. Le pedí a Enniss si podía curarme porque era muy engorroso. Él se limitó a reír.

—Venga, no seas tan perezosa —me dijo—; levántate y llama al médico. Prepara un poco de caldo de pollo y ve a comprar pastillas para la garganta.

Recuerdo que al principio su actitud irónica me ofendió un poco. Tal vez no era más que un resfriado, pero era muy fuerte y me encontraba muy mal. Pero después me di cuenta de que el verdadero problema no era el resfriado, sino mi letargo, mi holgazanería. Enniss tenía razón, el resfriado sólo había sido la excusa que provocó la aparición de la pereza. No necesitaba una varita mágica angelical; necesitaba hacer lo corriente en estos casos.

Así pues, me levanté, tomé una ducha y me vestí, y me sentí un poco mejor. Llamé al médico para concertar una visita. Descongelé unos trozos de pollo en el microondas y empecé a preparar caldo y, de camino hacia la consulta del médico, compré pastillas para la garganta. Me sentí mucho mejor tan pronto como dejé de compadecerme a mí misma, y el resfriado ya no representaba un problema tan grave. La medicación que me recetó el médico me ayudó a combatir los síntomas del catarro, la sopa alivió la congestión y las pastillas suavizaron la irritación de garganta.

Después de escuchar a mi ángel, fui capaz de curarme en muy poco tiempo. En aquel caso la curación directa hubiera resultado inapropiada, y por este motivo Enniss me ayudó de otra forma.

Los ángeles también nos ayudan a curarnos transmitiéndonos conocimientos. Los conocimientos son información, y a menudo los ángeles nos proporcionan la que necesitamos en el momento más oportuno. Recuerdo una historia que me contaron hace muchos años, cuando todavía iba al instituto, y que es un extraordinario ejemplo de lo que acabo de decir.

El ángel de la radio

Un amigo de mi padre nos contó una historia de un viaje que realizó a Canadá en compañía de otro amigo con la intención de tomar fotografías. Debían alojarse en una cabaña que pertenecía a una tercera persona, en la que había electricidad gracias a un generador, pero no tenía teléfono. Estaban bastante apartados de la «civilización». Los dos hombres se acercaron a la cabaña en coche tanto como les fue posible, pero después tuvieron que dejarlo y seguir a pie durante aproximadamente una hora.

Poco después de llegar a su destino, Jim, el amigo de mi padre, se dirigió al montón de troncos apilados que estaba situado al lado de la cabaña para ir a buscar leña. Pero, al tirar de uno de los troncos, la pila se desequilibró y toda la madera se desplomó sobre él. Al oír el ruido, Walter, su compañero, acudió en su ayuda y consiguió sacarle de debajo de los troncos. No se rompió ningún hueso, pero el abdomen le dolía mucho y parecía inflamado, lo cual les hizo temer que se hubieran producido heridas internas. Jim intentó andar, pero no podía. Walter le buscó una manta y salió en busca de ayuda. Antes de salir encendió la radio y buscó una emisora musical.

—Me encontraba realmente mal y me senté en la cama —explicó Jim—. No tenía ni idea de qué hacer para sentirme mejor, aunque pensé que lo más apropiado sería permanecer quieto. Walter había dejado una botella de whisky sobre la mesa y un poco de té que había sobrado del desayuno. Me quedé sentado en la cama un rato, bastante enfadado por aquel inoportuno accidente, mientras escuchaba la música de la radio. Había muchas interferencias porque la emisora estaba mal sintonizada.

Al cabo de un rato, Jim cogió la botella de whisky

con la esperanza de aliviar el dolor. Cada vez se sentía más débil. En el preciso momento en que se llevaba la botella a los labios, la música de la radio se interrumpió bruscamente y se oyó otro programa de una emisora diferente. Parecía que era un programa informativo o algo parecido:

—... el alcohol es lo peor para las hernias de bazo —decía una voz—, porque lo único que hace es dilatar más los vasos sanguíneos.

Entonces la voz se debilitó y volvió a oírse la música de antes.

Sorprendido, Jim dejó la botella. ¿Cómo era posible que la radio emitiera aquella información precisamente cuando él la necesitaba? Volvió a sentarse. Cada vez se sentía más débil y temblaba de frío; tomó un poco de té caliente del termo.

Entonces la música se interrumpió de nuevo y se volvió a escuchar la misma emisora; esta vez el sonido llegaba con claridad.

—Sabíamos que tenía una hernia de bazo, así es que hicimos que se tumbara y le cubrimos bien para evitar que entrara en un estado de shock. Mientras esperábamos la llegada del equipo de rescate con los instrumentos necesarios, le levantamos las piernas para que la sangre llegara a los órganos vitales, y...

La música volvió a sonar de nuevo.

Rápidamente, como si aquella voz se dirigiera precisamente a él, Jim consiguió alcanzar su gorro de lana y su chaleco. Después se puso en pie con dificultad, apartó la colcha de la cama, se tumbó y se abrigó bien con las mantas, con la cabeza a los pies de la cama y las piernas en alto apoyadas sobre las almohadas. Bebió un poco más de té caliente y rezó pidiendo ayuda, pues el dolor se le hacía insoportable.

De nuevo, la música fue reemplazada por el otro programa:

—... pero finalmente todo salió bien y se recuperó. Esto es radio [ininteligible], desde Boise.

Lo siguiente que Jim recordaba eran las voces de los miembros del equipo de rescate que estaban junto a él en la cabaña.

—Por suerte, todavía está con nosotros —dijo uno.

—Muy bien, pongámosle los pantalones antishock y llevémosle al hospital.

Finalmente, Jim se despertó en la sala de recuperación del hospital. No sólo se había herniado el bazo, sino que uno de los vasos sanguíneos conectados con el hígado se había desgarrado y también se había roto una costilla. Pero todo se había solucionado y se pondría bien.

—Fue un milagro —dijo Walter—. El médico aseguró que si hubieras bebido whisky y hubieras permanecido sentado, seguramente habrías entrado en estado de shock y habrías muerto por hemorragia interna. ¿Cómo sabías lo que tenías que hacer?

Jim le contó la historia.

—¿De Boise? —exclamó Walter—. ¡Pero si está a más de mil quinientos kilómetros de aquí! ¿Cómo es posible que las ondas de radio recorran una distancia tan grande?

Para Jim y Walter no fue más que un suceso inexplicable pero casual. Nunca descubrieron qué emisora de radio de Boise había podido emitir la historia de un rescate. Pero yo siempre he sabido que fue el ángel de

Jim, que le proporcionó los conocimientos necesarios para mantenerse en vida mientras esperaba la llegada de ayuda.

La sanación a través de los demás

Aunque los ángeles nos curan de forma directa o enseñándonos lo necesario para curarnos a nosotros mismos, también actúan a través de otras personas. No creo que los ángeles puedan utilizar a personas ni les obliguen a hacer lo que ellos quieran. Los seres humanos tenemos la suerte de decidir por propia voluntad. Pero creo que los ángeles pueden susurrar conocimientos al oído de otras personas para que éstas puedan ayudarnos a curarnos. Pienso que ésta es la razón de que muchas veces llamemos «ángeles» a los demás. Utilizamos esta palabra en sentido figurado, por supuesto, pero estoy convencida de que a veces recibimos la ayuda de personas que actúan gracias a la inspiración de los ángeles. Si reflexionas sobre tu propia vida, estoy segura de que encontrarás varios ejemplos de casos en que alguien se acercó a ti, un amigo, un familiar o incluso un desconocido, y enseguida supiste que aquella persona necesitaba ayuda para curarse, y lo supiste por medios que no son los habituales. Yo creo que estos casos tan poco comunes son regalos del Espíritu Santo que nos llegan a través de los ángeles para que podamos ayudarnos los unos a los otros.

Evidentemente, se trata de una vía de doble sentido. Nosotros podemos beneficiarnos del susurro de un ángel al oído de un amigo, o podemos ayudar a otra persona gracias a la inspiración de nuestros propios ángeles. Debemos estar preparados para escuchar la voz de los ángeles, ya sean los nuestros o los de los demás, que se dirigen a nosotros para mostrarnos el camino que la otra persona debe seguir para curarse. Si queremos estar orgullosos de ser los hijos y las hijas de Dios, nunca debemos cerrar nuestros corazones por miedo o egoísmo al mensaje que nos ilumina para ayudar a curar a los demás. Todos podemos ser, y probablemente ya somos, instrumentos de la curación de Dios a través de los ángeles, y así es como debe ser.

Yo no me dedico a ofrecer ningún tipo de consejo sobre ángeles porque no estoy preparada para esta clase de profesión, pero en ocasiones me encuentro cara a cara con personas que buscan la curación. Nunca hablo con ellas sin antes pedir a Rafael y a los ángeles de curación, incluyendo a nuestros ángeles de la guarda, que nos hablen y permitan que la necesidad de curación se exprese con sinceridad. Pido a mi ángel y al ángel de la otra persona que me proporcionen la serenidad y los conocimientos necesarios para ayudarla e intento abrir mi mente y mi corazón para captar la gracia de Dios que me llega a través de los ángeles.

Para curarnos no debemos ser pasivos y dejar que los ángeles se ocupen de todo. Al contrario, curarse requiere una intensa actividad de nuestra parte consistente en recibir y dar energía, eliminar el egoísmo y aceptar la humildad. Deberíamos rezar para que los ángeles intervengan en nuestra curación y en la de todas las personas de este mundo. No hemos de limitarnos a establecer una relación con nuestros ángeles, sino que debemos relacionarnos con los ángeles de sanación, porque por encima de nuestros ángeles de la guarda existen otros ángeles especiales, y por supuesto los poderosos arcángeles, que han sido destinados a actuar en favor de la sanación.

3

LOS ÁNGELES DE SANACIÓN

Un ángel del Señor descendía de tiempo en
tiempo a la piscina y agitaba el agua. Y el
primero que entraba en la piscina quedaba sano
de cualquier enfermedad que tuviese.

Juan 5, 4

Los ángeles se han asociado a la sanación desde tiempos antiguos. Para ellos no es ninguna cualidad nueva, aunque muchas personas tan sólo ahora empiezan a descubrir lo mucho que ellos desean ayudarnos a sanar nuestras vidas. Yo creo que cuando se realiza una sanación, ya sea en el corazón o en el cuerpo humano, siempre hay un ángel que lleva a cabo la labor que Dios le ha encomendado.

Todos nuestros ángeles son sanadores de un modo u otro. Los ángeles de la guarda saben todo lo que se puede saber sobre nosotros, tanto física como espiritualmente. Conocen nuestra necesidad de sanación mejor que nosotros, y les complace que solicitemos su ayuda.

Considero que, en general, los ángeles no nos curan de forma directa e instántanea. Prefieren mostrarnos el camino de la gracia de Dios para que comprendamos que necesitamos curarnos. Y una vez que somos conscientes de nuestra necesidad, nos transmiten los conocimientos y la serenidad que necesitamos para llegar a sanar nuestra vida, guiándonos con la luz de Dios. Pero como ya sabemos, los ángeles pueden manifestarse y realizar milagros en nuestras vidas, cuando así lo requiere la voluntad de Dios.

A los ángeles les resulta fácil ayudarnos a curar nuestras vidas y, además, desean hacerlo. No son perfectos (ninguna criatura lo es) pero no hay ningún aspecto de sus vidas que deba curarse, no existe ningún tipo de mal que deba eliminarse para llevar una vida donde reine la Luz. Su cuerpo no es susceptible de padecer enfermedades y heridas como el nuestro. Su capacidad mental es muy superior a la nuestra, y no se ve perjudicada por ningún tipo de egoísmo, por lo que es absolutamente pura. Todos los ángeles comprenden el propósito de su existencia, que consiste en transmitir de nuevo a Dios, tan pura como sea posible, la gloria que Él les ha dado. Ven a Dios «cara a cara» y también hablan con Él, y quieren que nosotros también podamos experimentar ese insuperable gozo igual que ellos, y por eso realizan una labor incansable ayudándonos a sanar nuestras vidas. Quieren que alcancemos el mayor nivel de sabiduría posible, porque la sabiduría ilumina el intelecto, y una mente iluminada sabe cuándo es necesaria la sanación y cómo conseguirla, ya sea una curación física, emocional, de relaciones entre personas, o cualquier otro tipo de sanación.

Podemos comprobar los resultados de la ayuda que nos proporcionan los ángeles cuando trabajan con nosotros para alcanzar la curación, sobre todo si estamos entablando una amistad angelical con ellos. Vemos nuestros progresos en un aspecto concreto, y sabemos que la sabiduría o iluminación es algo que hemos recibido del exterior. Y cuanto más trabajemos con nuestros ángeles para alcanzar la curación, más conscientes seremos de que la curación no nos llega de los ángeles, sino de Dios a través de los ángeles. Cuando comprobemos que nos curamos, estaremos profundamente agradecidos a los ángeles, pero la gloria y las alabanzas deben dirigirse a Dios.

Los ángeles de la guarda

Los mejores aliados durante el proceso de sanación son nuestros ángeles de la guarda. Estos ancianos seres de luz están destinados a vigilarnos desde el momento en que se inicia nuestra vida en este mundo. Antes pensaba que esta unión se consumaba cuando nacíamos, pero ahora comprendo que se inicia mucho antes, cuando cada uno de nosotros es concebido. ¡Nuestros ángeles creen que es mejor empezar lo antes posible!

Puede ser que los ángeles reciban información acerca de nosotros incluso antes de que nuestro cuerpo y nuestra alma se unan. Dios dice al profeta Jeremías en el Antiguo Testamento: «Antes de formarte en el vientre de tu madre te conocí». Tal vez Dios comparte algún tipo de información sobre nosotros con los ángeles de la guarda para que nos conozcan antes de que abandonemos el seno materno.

Los ángeles de la guarda son nuestros mejores compañeros durante el proceso de sanación. No sólo nos ayudan de forma constante, sino que además también colaboran con el ángel de la guarda de cualquier sanador humano al que necesitemos consultar. Como médicos celestiales, combinan lo mejor de los dos mundos: son médicos de cabecera, porque nos conocen de pies a cabeza, y también especialistas, porque cada uno se especializa en el cuidado de un ser humano concreto.

De hecho, siempre que necesito ver a mi médico, a mi guía espiritual o a cualquier persona cuya labor consista en sanar, antes hablo con su ángel de la guarda para que le ayude a realizar un diagnóstico correcto y el sistema de curación adecuado.

Recuerdo un ejemplo que sucedió hace algunos años, cuando acudí a la consulta de mi quiropráctico y pedí ayuda a su ángel. Cuando Paul empezó, pareció como si dudara y le pregunté por qué. Me explicó que, aunque no había ninguna razón lógica para trabajar una zona concreta, tenía la sensación de que si lo hacía me resultaría de gran ayuda. Yo le dije que hiciera caso de su instinto y, cuando hubo terminado, me sentí mucho más aliviada de lo que jamás me había sentido. Después me explicó que era como si dos manos hubieran movido las suyas hacia una zona concreta de mi columna vertebral a la que él no habría prestado una atención especial.

Pedir ayuda a nuestros ángeles no tiene nada que ver con la magia, pero es importante que primero establezcamos una relación con ellos. Ningún médico escuchará a un paciente desconocido que encuentre por la calle y que le pida una receta de una fuerte droga. El médico insistirá en iniciar una relación, escuchar la historia del paciente y realizar las pruebas necesarias antes de recetarle cualquier medicamento.

Una visualización sanadora

Si nunca has intentado trabajar con tu ángel de la guarda y con los demás ángeles que le ayudan, te recomiendo que intentes realizar el ejercicio que explicaré a continuación. Para llevarlo a cabo es necesario utilizar la imaginación y el espíritu, la visión del corazón, porque evidentemente no podemos obligar a un ángel a que aparezca cara a cara ante nosotros. Este ejercicio es una forma de hablar con nuestros ángeles y de invitarlos a participar en nuestras vidas para curarnos.

Siéntate en una silla cómoda, con los pies apoyados planos en el suelo y las manos libres, y relaja tu cuerpo todo lo que puedas. Cierra los ojos y respira de forma regular y pausadamente. Puedes poner un poco de música instrumental suave para cubrir ruidos externos, como por ejemplo el del tráfico de la calle. Del modo que quieras, pide a Dios que te ayude a conocer mejor a tu ángel de la guarda. Después empieza a imaginar que tu ángel está de pie delante de ti. Tu ángel siempre está ante ti, así es que lo único que haces es intentar visualizar el aspecto que podría tener. No creo que se pueda obtener una imagen equivocada, porque si nos ayuda a comunicarnos con nuestro ángel, siempre será la imagen adecuada. En cualquier caso, incluso las personas que ven ángeles con sus ojos físicos sólo ven una aproximación.

Intenta visualizar una imagen detallada. Mira la luz consciente de su presencia. Mira su cara. ¿Ves la paz, el gozo, la serenidad y la plenitud de este ser? Extiende los brazos y toma las manos del ángel entre las tuyas. Siente el contacto que se establece entre los dos.

Da gracias a tu ángel por estar junto a ti durante toda tu vida, por guiarte e inspirarte para que te conviertas en la persona más fabulosa que puedas llegar a ser. Después suelta las manos del ángel y relaja las tuyas, mientras él las apoya sobre tus hombros. Dale gracias por la fuerza y la sanación que todos los días comparte contigo, y piensa qué hay en tu vida que necesite ser curado. ¿Es un dolor de cabeza, o tal vez algún problema sentimental que no se soluciona? Decide lo que quieres sanar.

Después, mientras el ángel coloca sus manos sobre tu cabeza, di lo siguiente: «Quiero alcanzar la plenitud en todos los aspectos de mi vida. La voluntad de Dios es que todos busquemos la curación y el bienestar. Y por consiguiente elimino esto que me impide alcanzar la plenitud». Deberías darle un nombre, como por ejemplo «este dolor de cabeza», «este miedo al fracaso» o «esta intransigencia con los demás». Y después pide a tus ángeles que te ayuden a curarte.

Si lo deseas puedes pedir la sanación instantánea pero, por mi experiencia, los ángeles tienden a trabajar para enseñarnos a comprender las causas del problema para que seamos capaces de solucionarlo nosotros mismos. No suelen proporcionar la solución directamente, pero si esa es la voluntad de Dios, puede ocurrir. De hecho, las enfermedades y el dolor no son sucesos fortuitos. Aparecen en nuestras vidas para enseñarnos algo, y debemos comprender lo que es antes de poder saber cómo curarnos.

Es muy importante que, después de pedir ayuda, siempre demos las gracias. Nos mostraríamos muy ingratos con respecto a Dios si no agradeciéramos la ayuda que nos ofrecen los ángeles. Naturalmente, todas las cosas, incluyendo la curación, provienen de Dios, y al igual que damos las gracias al repartidor que nos trae flores el día de nuestro cumpleaños, a pesar de que sea un amigo quien las envíe, también debemos dar gracias a los mensajeros de Dios por su ayuda.

Yo creo que deberíamos practicar este ejercicio de visualización curativa de forma regular, pero es igualmente importante que también hablemos con nuestros ángeles en favor de la curación de los demás.

Recuerdo un día que estaba en Manhattan y me dirigía a ver a mi editor. Un hombre subió al autobús, y se veía claramente que estaba enfadado y herido por algún aspecto de su vida porque avanzaba dando fuertes golpes a la gente y diciendo cosas muy desagradables. Primero pensé en rezar para que se apeara del autobús o para pedir protección para mí misma, pero en seguida me di cuenta de lo egoísta que era mi actitud. Así pues, visualicé a un ángel rodeándole con sus brazos, curándole y transmitiéndole paz. Le pedí a mi ángel de la guarda que también añadiera sus energías curativas, y di gracias a Dios por desear la curación de aquel hombre. Y en sólo uno o dos minutos, el hombre se sentó y guardó silencio, dejó de hacer comentarios obscenos y ofensivos y se dispuso a leer el periódico.

Pude notar un cambio en su rostro. Supe que se estaba realizando algún tipo de curación porque, cuando se levantó para apearse, dio un golpe a un hombre que estaba de pie y le pidió perdón.

Además de nuestros ángeles de la guarda, que trabajan constantemente en favor de nuestra sanación, existen otros ángeles que se conocen como sanadores y que trabajan en nuestras vidas. Cuando deseemos curarnos, deberíamos dirigirnos a ellos y pedirles ayuda. La mayoría de estos ángeles son más conocidos por sus actos que por sus nombres. Me gusta pensar en ellos no como ángeles de la guarda, sino como especialistas que entran en nuestras vidas cuando nuestro ángel de la guarda solicita ayuda para un tipo de problema concreto. Sé que muchas personas llaman a estos ángeles directamente, pero yo prefiero pedir a mi ángel de la guarda que busque al «especialista» que en su opinión sea el más adecuado para el problema que deba solucionarse.

El arcángel Rafael: el Sanador de Dios

Rafael es el especialista por excelencia. Su nombre aparece como una brillante luz en la historia de la humanidad desde el antiguo Oriente Medio. El gran arcángel, uno de los siete que según la tradición están al lado de Dios, mantiene una relación sanadora muy especial con la raza humana, en comparación con otros ángeles que sólo vienen a nosotros como mensajeros o que ni siquiera vienen.

Rafael es un ángel dulce y compasivo, muy comprensivo con los seres humanos. Tal como indica su nombre en hebreo, es el sanador por excelencia: *rapha'* (que cura) + *'el* (Dios). La raíz de su nombre significa mucho más que la simple curación física. Incluye todo tipo de arreglo o reparación, desde zurcir unos calcetines hasta purificar el agua o arreglar cualquier defecto de un producto. Otras traducciones de lenguas cognadas incluyen significados como: unir cosiendo, reparar, pacificar, reforzar, etc. Podemos observar que la esencia del nombre Rafael implica un cambio para mejor, la restauración de algo para que recupere su estado original, ya sea en relación con nuestro ser físico o con nuestra espiritualidad.

Rafael en el antiguo Oriente Medio

Cuando intentamos comprender el carácter de alguien, ángel o humano, lo mejor es empezar con las fuentes escritas más antiguas de esa persona. En el caso de Rafael, debemos retroceder hasta incluso antes de los antiguos textos de la tradición judía, hasta la ciudad-estado llamada Ugarit.

La antigua Ugarit fue una importante potencia política y cultural de Oriente Medio dos mil trescientos años antes de nuestra era, más de mil años antes de que los judíos se encaminaran hacia la Tierra Prometida. Situada en la costa mediterránea del norte de Siria, Ugarit mantenía relaciones comerciales con varias zonas del mundo. Los habitantes de Ugarit hablaban una lengua bastante parecida al hebreo, aunque escribían en un alfabeto cuneiforme. Adoraban al dios supremo

El y a su consorte Atirat, a Baal, el dios de la tormenta, a su hermana Anat y a otras divinidades.

También veneraban a los ángeles.

En los textos de Ugarit que se descubrieron en Ras Shamra en 1928, se describen hechos relacionados con seres celestiales. Varios de estos textos mencionan a los mensajeros de los dioses, que formaban parte del «consejo divino» o *puhru ilani*, como también se le llamaba, y que eran inspirados por el dios supremo, El. Estos mensajeros reciben el mismo nombre que en las escrituras hebreas se utiliza a menudo para designar a los ángeles: *mal'akim*.

¿Quiénes eran estos mensajeros de la antigua Ugarit? ¿Qué hacían? ¿Y por qué podemos llamarlos «án-geles»?

En todos los aspectos, los ángeles de Ugarit concuerdan con la descripción de los seres a los que nosotros denominamos ángeles. En primer lugar, estos *mal'akim* estaban a las órdenes de los dioses de Ugarit. Cumplían los mandatos de los dioses y no actuaban cuando se les pedía que no intervinieran. En segundo lugar, actuaban como mensajeros de los dioses, no sólo entre un dios y otro, sino también como mensajeros de los dioses para con los habitantes de la Tierra. En tercer lugar, se les describe como inmortales seres de espíritu, no de carne y hueso, aunque también eran seres creados por los dioses. De hecho, una larga historia titulada genéricamente *El Nacimiento de los Gloriosos Dioses* describe cómo dos de estos ángeles, Shalim y Shahar, fueron creados por el dios supremo. En cuarto lugar, una de sus obligaciones consistía en cantar las alabanzas de El y de las demás divinidades.

84

Y lo que tal vez sea más importante para nuestra comprensión de los ángeles como sanadores, los ángeles de Ugarit venían con frecuencia a la Tierra como protectores o espíritus guardianes de individuos humanos, y así fue cómo conocimos a Rafael.

Algunos textos de Ugarit hablan de un grupo de seres poco concreto llamado _Rephaim_, nombre que proviene de la misma raíz que Rafael. Los textos de Ugarit están incompletos, por lo que resulta muy difícil saber quiénes eran exactamente los integrantes de este grupo. Es posible que este término designe a los espíritus de las personas muertas o a un determinado grupo de estos espíritus. También puede referirse a las personas de la Tierra cuyo protector celestial era el ser al que nosotros llamamos Rafael. En las escrituras hebreas, este término se aplicaba a los espíritus de los muertos que se encontraban en el Sheol.

El grupo llamado Rephaim está encabezado por un espíritu llamado Raph'a o Rapi'u. Este nombre se corresponde precisamente con el de Rafael, salvando las diferencias entre idiomas, al igual que François y Francis significan Francisco en francés e inglés. Al parecer, tiene algunas responsabilidades con respecto a los demás, y el resto del grupo le considera su protector o guardián especial.

El miembro más conocido del grupo de _Rephaim_ es Daniel o _Dan'el_, que era un héroe legendario en Ugarit (y cuyo nombre y actos seguramente nos han llegado a través del libro hebreo/arameo de Daniel del Antiguo Testamento). Daniel recibe el nombre de _Rapha'a-man_, es decir, el devoto o seguidor de _Raph'a_.

Según la historia, Daniel no tenía hijos y pidió a su

espíritu guardián que curara su esterilidad para que su mujer pudiera recibir la bendición de llevar un hijo a la familia. *Raph'a* transmitió el mensaje a El, el padre de los dioses y de los humanos, quien accedió a la petición. Daniel fue instruido, presumiblemente por *Raph'a*, para realizar ciertos rituales y sacrificios, que eran prácticas religiosas muy corrientes en aquella época, y su mujer concibió y dio a luz a un hijo.

Esta historia es extraordinaria porque nos demuestra que antes de los judíos, los griegos o los persas, en una tradición del antiguo Oriente Medio existían unos seres guardianes y protectores, unos espíritus inteligentes que custodiaban a las personas y transmitían sus peticiones y necesidades al dios supremo, el único que tenía el poder de concederlas. El primer nombre que encontramos es el de Rafael, y ya entoces se le asociaba con la curación. Dos mil años después, este mismo ángel sanador reaparecería en los textos judaicos.

Rafael en la tradición judía

La mayor parte de lo que conocemos acerca de la labor sanadora de Rafael proviene de dos fuentes principales: el libro bíblico o deuterocanónico de Tobías y el Primer Libro de Enoc, algunas partes del cual son más antiguas que algunos libros bíblicos (como el de Daniel, por ejemplo).

Rafael en el Primer Libro de Enoc

Actualmente ha vuelto a cobrar importancia una antigua colección de documentos, atribuida al sabio judío Enoc, debido a la gran cantidad de textos dedicados a los ángeles que contiene esta colección. Es una de las fuentes de información de Rafael más antiguas de que disponemos.

El Libro de Enoc consta de cinco documentos de cinco autores diferentes, el primero de los cuales fue escrito aproximadamente en el año 300 antes de nuestra era y el último en el año 150 antes de nuestra era. Durante muchos años se conservó en lengua etíope, y no se tradujo a idiomas europeos hasta hace unos ciento cincuenta años.

Enoc vivió durante una época en que la especulación religiosa alcanzó su máximo esplendor. La prosperidad material de la comunidad judía había sido destruida por los invasores, y la gente se refugió en la fe. A partir de esta fe, el interés por los ángeles creció con gran rapidez.

La primera parte del Libro de Enoc, que lleva por título «Libro de los Veladores» describe extraordinarios viajes celestiales realizados por Enoc (un seudónimo, evidentemente) durante el transcurso de los cuales se le revelaron varios detalles sobre la naturaleza, los nombres, el número y las responsabilidades de los ángeles. Enoc es el primero que dice el nombre de los cuatro (o siete) arcángeles. Enoc también especuló acerca de los tipos de contacto que los ángeles tenían con los humanos.

Recientemente se han publicado algunas ediciones

modernas de estos textos y se ha dicho que el Libro de Enoc es una obra misteriosa llena de conocimientos ocultos y prohibidos que sólo están al alcance de unos pocos elegidos. Nada más lejos de la realidad. En su día, el Libro de Enoc fue muy popular y tanto cristianos como judíos (e incluso filósofos griegos) hablaban de él desde Alejandría, en Egipto, hasta los Balcanes. También se menciona en la Biblia, en el libro de Judas 1, 14. Surgieron docenas de imitaciones. Cualquier persona que supiera leer o frecuentara ambientes donde se hablara de libros sabía quién era Enoc.

El Primer Libro de Enoc fue una obra tan influyente en su época que casi se convirtió en un modelo a seguir para las escrituras judías.

El Primer Libro de Enoc es un auténtico duelo de fuerzas entre ángeles. En él se menciona el nombre de más ángeles que en cualquier otra obra antigua. Y de entre ellos, uno de los más importantes es Rafael.

En la mayoría de los casos, Rafael forma parte de un grupo compuesto por tres ángeles más, Miguel, Gabriel y Uriel, que era especialmente reverenciado en la antigüedad. En ocasiones, a este grupo de cuatro ángeles también se añaden Phanuel, Saraqael y Raguel.

Encontramos a Rafael por primera vez en el capítulo 9, versículo 1, donde él y los otros tres ángeles comprueban que en la Tierra abunda el mal y la corrupción por culpa de los ángeles caídos Azazel y Semhazeh, que han convencido a otros ángeles para seducir a la humanidad hacia el mal. Esta visión tiene lugar antes del diluvio universal. Las personas que no han abandonado el buen camino les piden ayuda diciendo: «Transmitid nuestra situación al Altísimo».

Los ángeles interceden inmediatamente ante Dios para que ayude a los fieles, y Dios responde a sus plegarias, confiando a cada ángel una misión diferente. En el capítulo 10, versículo 4, Dios ordena a Rafael que ate de pies y manos a Azazel y lo envíe a las tinieblas. Este pasaje explica cómo debe hacerlo y describe detalladamente el castigo que debe recibir el espíritu maligno. (La victoria sobre un espíritu del mal también aparece en el libro de Tobías.) Antiguamente se creía que los espíritus malignos causaban enfermedades, por este motivo la relación entre el ángel sanador y la expulsión de los espíritus malignos es lógica. Tal vez incluso podemos reforzar esta relación recordando que uno de los significados derivados de la raíz *raph'* tiene que ver con atar o unir cosiendo con hilo o cuerda. Seguramente este significado está relacionado con el concepto de atar a un espíritu maligno. Rafael desempeña varias funciones en el Primer Libro de Enoc, pero todas ellas derivan del significado de su nombre.

Entonces el Altísimo dice a Rafael que, después de atar al demonio, debe curar la Tierra que los ángeles malignos han corrompido y proclamar la curación del planeta, anunciando que los ángeles eliminarán la plaga y que los seres humanos no perecerán. En este pasaje vemos claramente la relación de Rafael con la curación que se nos describe en el Libro de Enoc. En cambio, tanto a Miguel como a Gabriel se les asignan misiones destructivas bastante duras, mientras que la labor de Uriel consiste en dar las instrucciones necesarias a Noé para que pueda escapar del gran diluvio.

En el capítulo 40, versículo 9, Enoc tiene una visión donde se le aparecen cuatro arcángeles, el segundo de los cuales es Rafael. Su guía le dice que Rafael es «capaz de eliminar todas las enfermedades y todas las heridas de la humanidad». Es aquí donde se explica con mayor claridad la misión de Rafael como sanador.

En el capítulo 20, versículo 3, se dice de Rafael que es «uno de los ángeles sagrados que están por encima de los espíritus de los hombres». También se le llama Vigilante, término que Enoc utiliza para designar a los ángeles, tanto a los celestiales como a los caídos. Tal vez esté relacionado con el hecho de que los ángeles observan constantemente los actos de los humanos. Sin embargo, esta palabra también puede derivar de un término arameo cuya traducción más apropiada sería «guardián».

Se dice de Rafael que es el guardián de los espíritus de los seres humanos, no de sus cuerpos. Y esto es lo que corresponde al Sanador de Dios, porque todas las curaciones se inician en el espíritu, incluso las curaciones de enfermedades físicas. La mayor parte de la curación que necesitamos es la curación del espíritu o de aspectos relacionados con el espíritu, el pensamiento, las emociones y las relaciones personales.

En el capítulo 22 se relata un viaje que Enoc realizó con Rafael para ver el Sheol, que en la tradición judía es una especie de terreno neutral donde esperan las almas de los que han muerto. Rafael le muestra cómo se separan las almas condenadas de las aceptadas en el cielo, y Enoc alaba a Dios y le da gracias por esta revelación. Rafael también le muestra el Jardín del Edén y le enseña dónde está situado el árbol de la sabiduría (32,6).

Esta experiencia no corporal me desconcierta bastante por lo que sabemos de los actos y las misiones que se asignan a Rafael. Aunque, después de todo, el alma humana es un espíritu inmortal y es lógico que Rafael también muestre a Enoc el estado de aquellas almas que han abandonado sus cuerpos. Por este motivo, en la tradición católica romana también se asocia a Rafael con las almas del purgatorio, es decir, aquellos individuos que, a pesar de haber llevado una vida de amor y justicia en la Tierra, todavía necesitan experimentar una mayor iluminación, crecimiento y curación antes de que sus «ojos» espirituales puedan abrirse ante la gloria del cielo. Enniss, mi ángel de la guarda, llama a este lugar o estado la «casa de sanación» donde las heridas de nuestras almas se curan y se recupera la salud espiritual. Rafael se encarga de esta casa de sanación; yo creo que cuando nuestro ángel de la guarda nos acompañe de este mundo al próximo, Rafael nos estará esperando para seguir con nuestro proceso de sanación.

La visión de Enoc de una innumerable multitud de ángeles que rodean el trono del Señor de las Almas es especialmente reveladora. En el capítulo 40, versículo 9, Enoc escucha a cuatro ángeles: uno rezando, otro alabando a Dios, otro intercediendo y suplicando por el bien de toda la raza humana y otro rechazando a los espíritus del mal. Rafael es quien «alaba al Altísimo y a los elegidos que dependen del Señor de las Almas».

También en el Libro de Enoc, se explica que los cuatro ángeles más próximos al trono de Dios y los Siete participan activamente en la realización de los juicios de Dios en la Tierra y en el cielo.

Así pues, vemos que, en el año 300 antes de nuestra

era, Rafael ya aparecía en la literatura mística y apocalíptica judía como el ángel sanador por excelencia. Su misión no consistía únicamente en eliminar las enfermedades y heridas físicas (como por ejemplo, enfermedades naturales y heridas causadas por violencia), sino también en curar las almas humanas, en este mundo o en el otro, y liberarlas de los espíritus del mal.

Rafael en el libro de Tobías

El libro de Tobías es una fábula religiosa que contiene enseñanzas morales y teológicas. El autor anónimo, probablemente un judío egipcio, lo escribió aproximadamente en el año 180 antes de nuestra era. Escrita en griego, esta obra formaba parte de la Biblia de los judíos de la Diáspora que hablaban griego. También forma parte del canon del Antiguo Testamento para los cristianos católicos y ortodoxos, aunque no figura en el canon de las biblias protestantes. El libro de Tobías contiene mucha información sobre el concepto de ángel que se tenía en la antigua tradición judía.

La historia, que está muy bien redactada y contiene todos los elementos necesarios para que una narración tenga éxito, incluso en nuestros días, explica la historia de Tobit, un judío piadoso pero ciego y pobre, que envía a su hijo Tobías a otro país para recuperar un dinero que prestó a un pariente. Pero Tobías no conoce el camino y contrata a un guía, que resulta ser el ángel Rafael, que no revela su verdadera identidad hasta el final de la historia. Rafael, que actúa igual que lo habría hecho el Rafael de Enoc, cura la ceguera

92

de Tobit y expulsa al demonio Asmodeo, que atormentaba a la prometida de Tobías.

La historia, a pesar de su carácter pintoresco y de la presencia de elementos mágicos, nos muestra una visión de los ángeles tan moderna como cualquier obra que pueda escribirse en la actualidad. El autor utiliza hábilmente dos niveles de redacción: lo que Tobías percibe y lo que en realidad Rafael hace que suceda. Por ejemplo, al principio, cuando Tobit se queda ciego, reza a Dios para que le envíe la muerte; en un país lejano, Sara, prima de Tobías, destinada a ser su esposa, también pide a Dios que le envíe la muerte porque un demonio ha matado a su marido en la noche de bodas y todo el mundo se burla de ella. En este momento, la historia dice: «Dios oyó la oración de los dos y envió a Rafael para curarlos». Cuando Tobías se dirige al ángel, le llama Azarías (su seudónimo), pero cuando habla Rafael, el narrador siempre le llama «el ángel».

Así pues, cuando Tobías sale en busca de un guía, encuentra «al ángel Rafael, pero sin saber que era un ángel de Dios». Evidentemente, Rafael no iba a dejar que Tobías le descubriera.

Tobías le pregunta quién es, y Rafael le contesta que es un compatriota que ha «venido buscando trabajo». En el transcurso de su conversación, Tobías descubre que el desconocido conoce el camino para ir a Media. Rafael dice: «He ido allí muchas veces» (observación que resulta bastante irónica al provenir de un ángel que puede estar donde quiera siempre que lo desee).

Como Rafael no revela su verdadera identidad, no

asusta a Tobías ni a sus padres. Le desea a Tobit que sea feliz y le dice: «¡Ánimo! Pronto te curará Dios». Por consiguiente, incluso en el inicio de la historia el ángel ya comunica un mensaje de Dios y, como la mayoría de los mensajes de los ángeles, transmite consuelo y esperanza.

Siempre he pensado que la ironía de que Tobit le pida a Rafael si quiere ser el guía de Tobías es un recurso muy ingenioso. Al ángel de la guarda, en plena misión divina, se le pide educadamente que haga precisamente lo que ya está haciendo y se le ofrece «un dracma cada día y todo lo que necesites».

Y lo que todavía resulta más irónico es la despedida de Tobit a su hijo diciéndole: «Que el ángel de Dios os acompañe y os proteja». Y a su mujer, que está convencida de que jamás volverá a ver a su hijo, le dice: «Un ángel bueno le acompañará; el viaje será feliz, y volverá sano y salvo». ¡No sabía lo ciertas que eran sus palabras!

Así pues, Rafael, bajo el nombre de Azarías, Tobías y su perro, emprendieron el camino hacia Media.

Creo que es precisamente en el principio de la historia donde podemos ver mejor lo antiguo que es el concepto de ángel de la guarda en la tradición judía. Para que la historia fuera tan popular, este concepto debió de haberse aceptado universalmente mucho antes del año 180 antes de nuestra era, porque de lo contrario los lectores de aquella época lo hubieran considerado como algo muy extraño. Además, en la historia parece como si Rafael no fuera el ángel de la guarda de una sola persona, sino que más bien vela por toda la familia de Tobit y trabaja para curarles y

proporcionarles lo que, según la voluntad de Dios, es mejor para ellos.

Pero Rafael es mucho más que un ángel de la guarda; en el libro de Tobías demuestra que también es el ángel de la curación, como su nombre indica.

La primera noche de viaje, Tobías se acerca al río para pescar algo con que cenar y pesca un pez que casi le hace caer al agua. Rafael le dice que no lo deje es-capar porque tiene propiedades medicinales. Antes de asarlo, el ángel le indica que guarde el corazón, el hígado y la hiel.

Durante todo el viaje, Rafael da buenos consejos llenos de sabiduría a Tobías. También actúa como ca-samentero diciéndole a Tobías que se case con la hija del hombre al que van a visitar. La joven está atormen-tada por un demonio que ha matado a sus siete maridos durante la noche de bodas, pero Rafael le dice a Tobías que el hígado y el corazón del pez provocarán un humo que expulsará al demonio para siempre.

Creo que uno de los motivos de que todo salga tan bien en la historia es que Tobías siempre escucha lo que le dice Rafael. Sigue todos sus consejos, que siem-pre le resultan de gran utilidad. Al final, estos conse-jos sirven para que, a distintos niveles, todos hallen la curación.

Aunque Rafael sea un maestro, en todo momento se considera como el sirviente de Tobías. Siempre que Tobías le dice que le guíe o le lleve hacia un lugar, Rafael lo hace enseguida. Es un compañero perfecto: guardián angelical y empleado obediente.

Rafael favorece en gran medida el viaje de Tobías. El joven, a causa de la maravillosa descripción de

95

Rafael, se enamora tan intensamente de Sara (a quien ni siquiera conoce) «que su corazón ya no le pertenecía». Tobías sigue los consejos de Rafael y el demonio se aleja de Sara. Rafael, evidentemente un ser de inmenso poder, «persiguió al demonio hasta Egipto y lo ató, dejándolo inmóvil».

Dejando aparte la magia de esta parte del libro, vemos que los judíos de aquella época creían que los ángeles de Dios tenían poder sobre los ángeles del mal y, por consiguiente, la curación era posible. En nuestros días también deberíamos ser conscientes de ello. Como Rafael, nuestros ángeles de la guarda quieren lo mejor para nosotros, lo que forma parte del plan divino y puede ayudarnos a llevarlo a cabo.

Cuando el grupo regresa a casa, Tobías toma la hiel del pez, como le había explicado Rafael, y cura la ceguera de su padre. Poco después también desaparece su «ceguera» espiritual, es decir, la incapacidad de reconocer al ángel Rafael. Cabe observar que Rafael no es quien cura a Tobit; es Tobías quien aplica la hiel del pez sobre los ojos de su padre. Esta conducta de los ángeles es muy corriente; a menudo permanecen en un segundo plano, pero siguen siendo la fuerza motriz. Después de todo, fue Rafael quien explicó las propiedades curativas de la hiel del pez al joven Tobías.

También creo que es importante destacar que durante toda la historia, cada vez que Tobías recibe una bendición, da las gracias por ello a Dios. Sólo es al final del viaje cuando Tobías y su familia expresan su profundo agradecimiento a Rafael, que ha sido el principal promotor de todo lo positivo que les ha ocurrido.

Pero Rafael rechaza cualquier agradecimiento o

recompensa y dice: «Bendecid a Dios y dadle gracias, honradle y alabadle ante todo el mundo porque os ha colmado de bienes».

Y todavía revela más: «Cuando rezabais tú, Tobit, y Sara, yo presentaba vuestras oraciones al Señor... Fui enviado para probarte. Y Dios también me envió para curarte a ti y a Sara, tu nuera. Yo soy Rafael, uno de los siete ángeles que están ante la gloria del Señor y en su presencia».

Entonces, cuando Rafael revela su verdadera identidad, los humanos tienen miedo, cosa que ocurre muchas veces. Seguramente la apariencia física de Rafael cambió, porque todos cayeron de rodillas con temor reverencial, pero él les dijo: «No temáis; la paz esté con vosotros. Bendecid siempre al Señor. Cuando estaba con vosotros, no estaba por propia voluntad, sino por voluntad de Dios. Bendecidle y cantad himnos en su honor todos los días. Me veíais, pero no comía; era una apariencia lo que veíais. Vosotros ahora bendecid en la tierra al Señor y dadle gracias; yo me voy al que me envió. Escribid lo que os ha sucedido».

Dicho esto, Rafael desapareció. Y cuando se levantaron ya no le vieron más y alabaron al Señor «porque se les había aparecido un ángel de Dios».

Lo más importante que aprendemos de Rafael, y por extensión de todos los que sirven a Dios, es que no vienen a nosotros por propia decisión, sino por voluntad de Dios. Esperan que se les trate con el respeto que merecen tan grandes mensajeros, pero jamás aceptarán agradecimiento o gloria para sí mismos, sino para Dios, que es quien les envía. Debemos recordar esto cuando intentemos establecer una relación recíproca con nuestro ángel de la guarda, porque si Dios no proporciona vida y profundidad a esta relación, no será nada satisfactoria.

Rafael en nuestros días

Más adelante, la literatura mística judía también consideró a Rafael como al principal sanador. En el Zohar, el rabí Abba dijo que «Rafael es el encargado de curar la Tierra y, a través de él, la Tierra ofrece un hogar a los seres humanos, a quienes también cura de sus enfermedades». Según las leyendas y tradiciones de los judíos, Rafael es el ángel que Dios envió para curar a Jacob, que se lesionó la cadera luchando contra otro ángel. También se dice que Rafael entregó un libro de medicina a Noé después del diluvio. Todas estas creencias indican claramente que, en la antigüedad, Rafael era considerado un sanador.

En nuestros días, Rafael es el ángel al que nos dirigimos para obtener curaciones a escala mundial, así como para que nos ayude a solucionar problemas de contaminación y de reciclaje, que son formas de curar nuestro planeta. Rafael también es el patrón de los farmacéuticos y de aquellos que crean medicinas y remedios contra las enfermedades. En el libro deuterocanónico de la Biblia llamado Eclesiástico hay un versículo que creo que debe gustar a Rafael de forma especial, y dice así: «El Señor creó de la tierra los remedios, el hombre sensato no los desprecia».

Muchas personas consideran que Rafael es el arcángel que está por encima del resto de los ángeles de la guarda y que, por la gracia de Dios, les asigna sus misiones y les enseña las tareas que los ángeles de la guarda han de realizar. En el mundo del arte, los elementos que simbolizan a Rafael son panes y peces o un tarro de ungüento, y a menudo se le representa con sandalias y llevando un bastón. Rafael es el patrón de los farmacéuticos y de los herbolarios, y fue considerado como el patrón de los viajeros mucho antes que san Cristóbal. Su fiesta se celebra el día 24 de octubre.

En mi opinión, yo también situaría a Rafael entre los guardianes celestiales o patrones de las causas en favor del medio ambiente y el reciclaje. Como sanador al que en la literatura escrita hace casi dos mil doscientos años se le dio la orden «¡Sana la Tierra!», seguro que se preocupa por la preservación de nuestro planeta.

Miguel: el ángel que sana a través del agua

Un segundo ángel asociado con la curación es Miguel, cuyo nombre en hebreo significa «El que se parece a Dios». A diferencia de Rafael, generalmente no se le considera como un sanador. Su misión de proteger ha sido mucho más importante a lo largo de la historia de la humanidad. Sin embargo, antiguamente se asociaba a Miguel con la curación, y en particular con la curación física a través del agua.

Para nosotros el agua es sagrada, porque es indispensable para la vida. Somos capaces de vivir durante meses sin comer, pero en pocos días morimos por falta de agua. En la antigüedad, los ríos y arroyos eran considerados fuentes de fuerza espiritual, así como los medios de transporte eran una fuente de comida. Se consideraba que las corrientes de agua eran como emanaciones de Dios o de la Madre Naturaleza que daban vida a todas las cosas. En las culturas más antiguas, el dios de las aguas (Yamm, Poseidón, Neptuno, etc.) era una divinidad muy poderosa.

Desde tiempos inmemoriales, el agua ha jugado un importante papel en la curación de enfermedades. Los manantiales de agua caliente se veían como regalos especiales de Dios, y se asociaban a espíritus protectores o incluso divinidades. Las personas recorrían grandes distancias para sumergirse en las aguas termales en busca de la sanación. Empezaron a practicarse varios tipos de terapias, sobre todo en la antigua Europa. En la época de los griegos, los hospitales y clínicas se construían cerca de estos manantiales y se practicaba un tipo de medicina bastante efectiva. Los romanos eran especialmente aficionados a las aguas termales. La localidad inglesa de Bath debe su nombre a su reputación como balneario, y los antiguos baños romanos todavía están en funcionamiento.

Por su origen natural y propiedades curativas, se creía que estos manantiales de agua caliente eran regalos de Dios, y como tales se les suponía bajo la protección de seres espirituales al servicio del Altísimo. Pronto se erigieron capillas y santuarios cerca de estos manantiales para que los visitantes pudieran disponer de un lugar apropiado para rezar a Dios y darle gracias por la sanación o mejora de su enfermedad.

Los manantiales de agua caliente, a pesar de que algunos fueran de reducidas dimensiones, no eran las únicas concentraciones de agua que tenían guardianes propios. Los pozos naturales y las fuentes normales, e incluso los ríos y arroyos, también se reverenciaban por sus propiedades curativas y cada uno de ellos tenía su espíritu guardián. Esta creencia también prevaleció en las épocas bíblicas. Muchas personas conocen la historia de cómo una noche Jacob llegó al río Yaboc y allí luchó contra un ángel hasta despuntar el alba. Los estudiosos del folklore religioso consideran que aquel ángel era el guardián del río. Según la tradición judía, el ángel que luchó contra Jacob era Miguel y lo hizo para probar si era digno de convertirse en el patriarca y padre de Israel. Durante el combate junto al río, Jacob se dislocó la cadera; la tradición judía siempre ha considerado que Dios envió a Rafael para curarle.

Durante la época en que vivió Jesús, los judíos creían fervientemente que Dios había escogido al ángel Miguel para que velara por determinadas fuentes de agua, especialmente aquellas que tenían propiedades curativas. Esta creencia puede provenir del hecho de que tradicionalmente se considere que Miguel es un ángel protector especial de los judíos, quienes asociarían esta protección con todos los fenómenos naturales de su mundo.

Pero creo que esta asociación todavía va más lejos. La tradición considera que Miguel es el ángel del éxodo, que condujo al pueblo de Israel a través del mar Rojo y que, cuando Moisés golpeó la roca en el desierto, hizo que de ella manara agua para calmar la sed de los israelitas. En ambos casos el agua es una fuente de vida y de seguridad para el pueblo judío. Por consiguiente, puede ser que la asociación de Miguel con la curación a través del agua se inicie aquí.

Un interesante pasaje del evangelio de san Juan también habla de las curaciones de Miguel a través del agua: «Hay en Jerusalén, junto a la puerta de las Ovejas, una piscina llamada en hebreo Bezatá, con cinco soportales. En estos soportales había muchos enfermos, ciegos, cojos y paralíticos que aguardaban el movimiento de las aguas. Pues un ángel del Señor descendía de tiempo en tiempo a la piscina y agitaba el agua. Y el primero que, después de movida el agua, entraba en la piscina, quedaba sano de cualquier enfermedad que tuviese» (Juan 2, 2-4).

La tradición judía suele asociar al ángel del Señor que agitaba la aguas con Miguel (y al verdadero sanador con Rafael).

La tradición cristiana siguió los pasos de la judía y dedicó manantiales y aguas curativas, que antes estaban dedicados a dioses paganos, al arcángel san Miguel. Uno de los santuarios más antiguos es el de san Miguel en Umbria, Italia. En sus orígenes, este santuario estaba dedicado a Júpiter, pero en el siglo v pasó a dedicarse «al Dios de los ángeles» y se consagró bajo la protección de Miguel.

En tiempos del emperador Justiniano, se construyeron santuarios dedicados a Miguel en todas las ciudades del Oriente Medio y el este de Europa relacionadas con aguas curativas. Tal vez el más famoso era el de las aguas termales de Bitinia, donde también se construyó un hospital dedicado a Miguel. Su fiesta se celebra el 29 de septiembre, fecha en que aún se realizan peregrinaciones a los santuarios dedicados a él.

Actualmente, muchas personas siguen acudiendo a aguas termales y balnearios de todo el mundo con la esperanza de curarse. «Hacer una cura» todavía es sinónimo de ir a un balneario para seguir un tratamiento contra una dolencia, y existen muchos lugares por toda Europa que están especializados en tratar diferentes enfermedades y dolencias mediante la ingestión de ciertas aguas y baños especiales. De hecho, en muchos países la seguridad social cubre los gastos de estos tratamientos.

En Japón, donde el baño tradicional todavía se considera como un regalo de Dios, millones de personas acuden a manantiales de aguas curativas en peregrinación todos los años. Según el sintoísmo, la religión tradicional del Japón, todos los manantiales tienen unos espíritus guardianes especiales llamados *kami*, y las personas que acuden al santuario para curarse invocan la presencia y ayuda de estos espíritus.

¿Por qué se considera que Miguel cura a través del agua? En mi opinión, creo que las aguas termales y otros lugares parecidos debían protegerse, tanto de desastres naturales como sobrenaturales, porque eran muy valiosos para la humanidad. Sólo el más poderoso de los protectores era capaz de hacer algo por estos lugares sagrados tan importantes. Por este motivo, se consideró que Miguel era el ángel que debía velar por estos lugares de sanación. Esta creencia todavía se conserva en muchas partes del mundo, como por ejemplo, el Centro Médico San Miguel de Newark, Nueva Jersey, que se fundó en 1867 y es uno de los muchos hospitales dedicados al arcángel.

También se considera que Miguel es el ángel que

conduce a las almas de los que han muerto hacia el otro mundo. Es el patrón de los hospicios, y cuando conozcamos a alguien cuya vida en este mundo está llegando a su fin, podemos pedirle a Miguel que le acompañe en su viaje al más allá.

Miguel y Rafael trabajando juntos

Mi experiencia es que Miguel y Rafael colaboran para conseguir un objetivo común: trabajan juntos para ayudarnos a alcanzar la sanación. Cuando existe una gran necesidad de curación, como por ejemplo en el caso de una persona muy afectada por la muerte de un ser querido, la protección de Miguel es una parte muy importante del proceso de sanación. El gran arcángel puede, en sentido metafórico, extender sus alas a nuestro alrededor para protegernos de influencias perjudiciales que podrían evitar que nos concentráramos en la necesidad de curarnos. En un ambiente protector como éste, nuestros ángeles de la guarda, en colaboración con Rafael, nos pueden ayudar a sanar.

Todos tenemos muchas oportunidades para pedir a nuestros ángeles que nos ayuden a sanar nuestras vidas, pero para las personas cuya profesión consiste en curar, las oportunidades de disfrutar de la colaboración de los ángeles son mucho más numerosas.

Si yo fuera una profesional de la salud, me sometería a la tutela permanente de Rafael y Miguel. Nunca entraría en la habitación de un paciente sin antes pedir a mi ángel y al ángel del paciente que nos ofrecieran su ayuda. Nunca recetaría una medicación o un tratamiento sin antes pedir ayuda a los ángeles para que aquel tratamiento resultara tan efectivo como fuera posible. Por la noche le diría a cada uno de mis pacientes: «Sueña con los ángeles», y por la mañana les diría, igual que todavía hacen los granjeros franceses: «Buenos días a ti y a tu compañero», refiriéndome, por supuesto, a su ángel.

Cuando recetara medicamentos o tratamientos me dirigiría especialmente a Rafael, y también hablaría con Miguel, cuya asociación con las terapias relacionadas con el agua es igualmente antigua.

Y hablaría a mis pacientes de sus ángeles de la guarda, porque es muy reconfortante saber que los ángeles siempre están con nosotros. Yo he sido paciente de un hospital en cuatro ocasiones, y puedo asegurar que las noches pueden ser muy largas y solitarias. Saber que mi ángel estaba junto a mi cama me ayudó a superar momentos muy difíciles. Es una buena receta para curarse que deberían usar más médicos: *Tome dos ángeles, y es posible que por la mañana ya no tenga necesidad de llamarme.*

Muchas personas que están gravemente enfermas, sobre todo aquellas que están ingresadas en un hospital, explican que han visto a sus ángeles o han notado que les tocaban. En ocasiones el personal del hospital se ríe de estas experiencias y asegura que sólo son pro-ducto de los calmantes, pero los pacientes saben la verdad. Sus ángeles les visitan para curarles, tal vez no curan sus cuerpos de forma inmediata, pero les curan del miedo y la angustia que sienten y les transmiten fe y esperanza haciendo que se sientan mejor. En ocasiones también les visitan para facilitarles la transición de esta vida a la próxima, y entonces les dicen que ha llegado la hora de partir.

Y a veces también visitan a los enfermos para jugar. Martha Powers, cuya historia relaté en mi primer libro, *Touched by Angels*, estuvo hospitalizada mucho tiempo cuando era una niña, y asegura que sus ángeles la visitaban, jugaban con ella y le ayudaban a no perder el ánimo. Los niños son especialmente propensos a ver ángeles. Tal vez son demasiado jóvenes para saber que ver ángeles es «imposible», y por lo tanto los ven con mayor facilidad. Si yo tuviera un hijo en el hospital, me gustaría que supiera que su ángel siempre está con él y que los ángeles de sus padres también. Compraría libros con ilustraciones de ángeles y les leería historias sobre ellos.

Los ángeles nos quieren ayudar a sanar, y la forma de pedir esa ayuda es a través de la oración. Pero primero debemos analizar nuestra actitud hacia nosotros mismos y hacia las personas que nos rodean para ver si, antes que nada, necesitamos pedir perdón.

4

EL PERDÓN: EL CAMINO ANGELICAL
HACIA LA SANACIÓN

Padre, perdónalos, porque no saben lo que hacen.

Lucas 23, 34

La base de toda curación es el perdón: la eliminación, por decisión propia, de la ira y la rabia provocadas por las heridas que nos han causado personas o sucesos y el daño que nos hemos hecho a nosotros mismos. Siempre que hay la necesidad de curar, existe la necesidad de perdonar. El perdón es el «camino angelical» que nos conduce a la sanación.

A lo largo de nuestras vidas en este mundo, todos padecemos el daño que nos causan otras personas y también hacemos daño a los demás. Muchas veces actuamos sin piedad y pronunciamos palabras que hieren a los demás o, lo que es lo mismo, dejamos de decir palabras cariñosas cuando deberíamos, o vemos que alguien nos necesita y le damos la espalda. No importa el nombre que demos a estos sucesos (error, karma o pecado): todos causan heridas espirituales que pueden separarnos de los demás y de nuestra propia alma.

Es una situación terrible. Provenimos de Dios, que es Uno, que no sólo es omnipotente sino también inmanente, es la unidad que impregna toda la creación, que rebosa sabiduría y amor creativo, ¿y qué es lo primero que hacemos cuando somos conscientes de nosotros mismos? Creamos ruptura, alienación, separación. Y lo que todavía es peor: aceptamos esto como una forma de vida. Estamos tan acostumbrados a que nos hagan daño y a hacer daño a los demás y seguir como si no hubiera pasado nada que ni siquiera nos damos cuenta de la importancia de la sanación que necesitamos. Nos sentimos demasiado heridos para preocuparnos por ello.

Nuestros ángeles consideran que esta situación es intolerable. Ellos son mensajeros perfectos, perfectos transmisores del amor y la gracia de Dios. No pecan ni hieren a ninguna criatura; en su sociedad no existen las divisiones. Lo único que desean es que el amor, la armonía y la perfecta paz de Dios habiten en nosotros porque estas cualidades forman parte de ellos. Odian vernos aislados de nosotros mismos y de los demás. Saben que es antinatural.

Por este motivo, los ángeles están dispuestos a ayudarnos en cualquier momento para que seamos capaces de perdonar a los demás y comprender la necesidad de pedir perdón cuando hemos herido a otra persona. Siempre que perdonamos o pedimos perdón, los ángeles están junto a nosotros y nos ofrecen su amor y su apoyo. Jesús dijo en una ocasión: «Los ángeles del cielo se alegran siempre que alguien se arrepiente». Yo creo que es cierto. Nuestros ángeles se alegran siempre que superamos nuestra ceguera espiritual y las barreras que nosotros mismos hemos creado, siempre que derrumbamos nuestro muro de Berlín particular. Yo he experimentado la alegría de mis ángeles, Enniss, Tallithia y Kennisha, cuando he pedido perdón a Dios o a otra persona, o cuando he perdonado a alguien que me lo había pedido.

El perdón y la curación son inseparables. El perdón, tanto si lo damos como si lo recibimos, es lo que inicia el proceso que nos cura estas terribles heridas. Es la medicina más poderosa que existe, porque detiene la infección que las heridas pueden causar y prepara el terreno para que el amor las sustituya a través de la reconciliación.

El perdón no es una emoción, un sentimiento de benevolencia o compasión. Se puede describir como un acto voluntario mediante el cual decidimos eliminar una herida. Decidir perdonar algo que nos ha hecho daño no significa tolerarlo ni quitarle importancia. Significa que hemos decidido no retener la herida, no llevarla en nuestro corazón y no utilizarla en contra del individuo que la causó. Ser capaz de tomar una decisión así ya es una forma de curarse, porque evita que una herida se infecte más. Y cuando el perdón abre las puertas a la paz de la reconciliación, entonces el amor también puede entrar y eliminar cualquier rencor, incluso el más antiguo e intenso. En la mayoría de los casos, nuestro problema es que nos sentimos tan heridos que pensamos que podemos vivir con el rencor y no nos esforzamos por conseguir la reconciliación, que es lo único que aliviará nuestro dolor.

La manera más sencilla de perdonar es cuando alguien pide ser perdonado. Pero también somos capaces de perdonar aunque la persona que nos haya herido no quiera o no pueda pedirlo, porque el perdón depende de nuestra voluntad y proviene de la comprensión, el conocimiento y la conciencia.

El perdón no siempre es algo instantáneo, por supuesto. A veces se necesita mucho tiempo para perdonar. A veces se necesita toda una vida. Antes de tomar la decisión de perdonar conscientemente, tenemos que crecer en comprensión e iluminación, y a menudo tenemos que reafirmar varias veces nuestra decisión antes de que los sentimientos heridos aparezcan de nuevo.

A veces se necesita más que toda una vida para perdonar. Personalmente, creo que la noción católica de «purgatorio» es precisamente eso: una casa de sanación después de abandonar este mundo, una escuela para aprender lo que todavía tenemos que aprender y que deberíamos haber aprendido mientras estábamos en la tierra.

El proceso de perdonar

En diciembre de 1992 participé en un programa de televisión. Al día siguiente de su emisión, que era aproximadamente una semana antes de Navidad, mi jefe me llamó a su despacho y me despidió después de haber estado casi cinco años trabajando en la empresa.

110

El motivo del despido era mi trabajo con los ángeles. Mi jefe me entregó un sobre y me comunicó que tenía quince minutos para recoger las cosas de mi mesa. Ordenó que dos agentes del personal de seguridad (que se sintieron bastante incómodos al tener que obedecer) me vigilaran para asegurarse de que no me llevaba ni un bolígrafo. Fue una experiencia terrible y me sentí muy humillada. Me fui a casa y lloré largo rato. Me sentía tan desgraciada que dudo que hubiera oído la voz de Dios aunque hubiera sido como un estallido sónico encima de mi cabeza. Estaba muy dolida, muy triste y deprimida. Como dicen los psiquiatras, estaba llorando por el empleo que acababa de perder como si hubiera perdido a un ser querido.

Y más tarde, después de Navidad, apareció la rabia. Revisé el dinero de que disponía, calculé lo que recibiría como subsidio de desempleo mientras buscaba otro trabajo, las pequeñas deudas que tenía pendientes y poco a poco la ira se apoderó de mí.

«¡Cómo se han atrevido a despedirme!», pensé furiosa. Era la mejor editora que jamás habían tenido. Tenía una carga de trabajo que otra persona no hubiera podido soportar. Yo hacía bien mi trabajo, pero el jefe no me podía ver. Seguro que disfrutó despidiéndome. Quería contratar a otra persona, no a alguien que ya estuviera allí cuando él entró en la empresa...

Seguí despotricando interiormente, imaginando todo tipo de cosas. Reviví la humillante pesadilla de seguir a los agentes de seguridad a lo largo del pasillo y hasta el aparcamiento. Lloraba, temblaba de rabia y me sentía llena de odio. Pensé en cómo podía vengarme de la empresa. Estuve a punto de acudir a un abogado. Estaba paralizada por la rabia, y la parálisis de espíritu puede llegar a ser más demoledora que la parálisis física. Mi amor propio estaba destrozado.

Fue horrible, una de las peores experiencias de mi vida. Yo soy una pacifista convencida por naturaleza, como toda mi familia. Mi último pariente cercano que participó en una guerra luchó en la Revolución americana. Mi padre fue objetor de conciencia durante la Segunda Guerra Mundial. Fui educada en la creencia de que la paz mundial empieza por la paz en el corazón de las personas, y ahora odiaba a mi jefe con todas mis fuerzas y me odiaba a mí misma por odiar.

Por culpa de la ira y el odio que se apoderaron de mí, mi vida espiritual se bloqueó por completo. Cada vez que rezaba a Dios, me asaltaban sentimientos de rencor. Hablaba con Enniss durante horas y él permanecía en silencio. (Obviamente, lo que me impedía oír sus palabras era mi propia alma y los esfuerzos entusiastas de los espíritus de las tinieblas. Él nunca dejó de intentar comunicarse conmigo.) Mi amor propio herido se interponía entre nosotros. Estaba atrapada en mí misma.

Mi vida se paralizó por completo. No era capaz de escribir nada digno de aparecer en *AngelWatch*, la revista sobre ángeles que publico. No tenía valor para dar charlas sobre ángeles porque sólo podía pensar la rabia que sentía. Reviví mentalmente lo ocurrido una y otra vez, y a cada momento encontraba nuevos detalles que me hundían más en la tristeza. Cada vez que iba a misa me sentía culpable. Estaba allí para celebrar el perdón universal de Dios a través de Jesús, pero no era capaz de dejar de pensar en mí misma y unirme a esa celebración. Durante la misa del gallo, estaba tan enfadada con mi jefe que interiormente pensé: «Maldito seas». Entonces me di cuenta de que tal vez no lo había pensado en sentido figurado. La idea de que una parte de mí pudiera realmente desear a alguien una eterni-dad apartado del amor de Dios era tan aterradora que pasé la mayor parte de la misa del gallo temblando y llorando.

Además de todo esto, tenía que escribir un libro, pues acababa de firmar un contrato con Warner Books para escribir *Touched by Angels*. Pero me sentía tan herida por lo que había pasado (y, honestamente, por lo que me estaba haciendo a mí misma) que durante casi tres semanas me senté delante del ordenador pero no conseguí escribir nada. Estaba demasiado llena de rabia para escribir sobre Dios y los ángeles.

Puesto que yo no estaba de humor para escuchar a Dios a través de mi ángel, Enniss inspiró a todos mis amigos y familiares para que hablaran conmigo y me ayudaran a liberarme del odio perdonando a los que me habían despedido. Hablara con quien hablara sobre mi despido, todo el mundo me daba la misma respuesta.

—Pero Eileen —me decían—, ¿no te das cuenta de que todo forma parte de los planes de Dios? Ya no tenías que trabajar más en esa empresa. Así de sencillo. La voluntad de Dios te depara otros caminos. No pienses más en ello.

Por muy desgraciada que me sintiera, todos me decían lo mismo, incluso algunos amigos a quienes jamás había oído hablar de fe, de Dios ni de ángeles. Al principio me pareció muy extraño. Yo insistía en

113

que me sentía muy herida y en lo injusta que había sido la empresa, pero la respuesta siempre era la misma: «No te preocupes, forma parte de los planes de Dios». Pareció como si, durante tres semanas, mantuviera la misma conversación con quince o veinte personas diferentes. Podría haber escrito el guión de aquella película en la que Bill Murray tenía que vivir el mismo día una y otra vez hasta que finalmente aprendía una importante lección sobre la vida.

Mirando hacia atrás, todo aquel episodio parece bastante divertido. Ahora ya puedo reírme, porque todo lo que puede curarse en este mundo ha sido curado. Realmente, formaba parte de los planes de Dios que dejara mi antiguo empleo para que pudiera iniciarse algo mucho más maravilloso. Nunca podré agradecer a Enniss todos sus esfuerzos para hacerme ver la realidad de Dios y rescatarme del pozo de resentimiento donde había caído.

Finalmente, después de que docenas de amigos me dijeran la verdad, fui capaz de volver a pensar racionalmente y comprendí que no sólo debía perdonar a la empresa que me había despedido, sino que también debía dar gracias por haber perdido mi empleo en lugar de acumular resentimiento y odio por ello. Cuando me calmé lo suficiente para ver y sentir la profundidad de mi herida interior, empecé a rezar pidiendo la sanación y a intentar perdonar. Pensaba en Jesús, que es mi modelo de perfección, cuando agonizaba en la cruz, con clavos atravesando su cuerpo, y sin embargo todavía fue capaz de decir: «Padre, perdónalos, porque no saben lo que hacen».

Le pedí a Dios que enviara a sus ángeles para que

me iluminaran y me ayudaran a curarme. Poco a poco me di cuenta de que mi antiguo jefe sólo actuaba impulsado por el miedo a lo desconocido. En realidad, se trata de una empresa muy respetable que hace lo imposible por satisfacer a sus clientes, uno de los cuales todavía soy yo. Reconocí que tenía mis propios defectos y que también habían contribuido a provocar aquella situación. Nuestros intereses tomaron caminos diferentes.

También fui capaz de analizar por partes todo lo ocurrido. Me di cuenta de que no había nada malo en dejar un empleo para empezar otro; es algo que sucede constantemente. No era necesario perdonar a la empresa por haber rescindido mi contrato. Tenía que aceptar su decisión. Lo que no conseguía comprender era la forma en que me habían despedido, con rabia y total indeferencia hacia mí. Un día me encontré en la cocina de mi casa totalmente dominada por la tensión, con los puños y los dientes apretados y un dolor de cabeza provocado por el rencor, y entonces intenté relajarme y tomar una decisión.

—Yo, Eileen Elias Freeman —dije—, por la presente declaración perdono a . . . . por haberme despedido.

¿Ocurrió algún milagro? ¿Me sentí aliviada y llena de alegría? No, en absoluto. De hecho, apenas noté diferencia alguna. Dos minutos después todavía seguía reviviendo la humillación y el resentimiento. Pero cuando me di cuenta de lo que me estaba sucediendo, intenté tranquilizarme de nuevo.

—No, esto no debe ocurrir. Les perdono por haberme despedido. Decido no pensar más en ello.

Probablemente lo repetí cien veces al día durante varias semanas. Pero lo realmente importante es que, con la ayuda de Dios, se inició el proceso de curación.

Cuando finalmente conseguí iniciar el proceso de perdonar, fui capaz de volver a escribir. Los ángeles me ayudaron a recuperar el tiempo perdido y terminé el libro según lo previsto. Pero no fui capaz de escribir ni una sola palabra hasta que inicié el proceso de perdonar.

El proceso de curación y perdón duró varios meses, durante los cuales yo reafirmaba una y otra vez que perdonaba a los que me habían despedido. Empecé a creer que les había perdonado, pero en realidad mis sentimientos todavía se sentían heridos.

Un día hablaba por teléfono con la artista K. Martin-Kuri, miembro de la organización Tapestry, que había organizado varios congresos sobre ángeles, y me preguntó si quería hablar sobre el perdón en el Segundo Congreso Americano sobre Ángeles en junio de 1993.

Tragué saliva. Podía hablar sobre la teoría del perdón y explicar cómo pedía a mis ángeles que me ayudaran y me iluminaran para perdonar a los que me habían herido, pero ¿cómo podía esperar que resultara creíble si interiormente todavía no había superado lo que me había ocurrido? Le respondí que me encantaría dar la conferencia si podía ponerle el subtítulo de «Un proceso en curso», y ella aceptó.

A partir de aquel momento me concentré trabajando para curar mis sentimientos y reafirmar el perdón que había concedido a mi antiguo jefe. Me costó mucho tiempo, sobre todo porque la reconciliación, que siempre es el camino más rápido hacia la sanación, era imposible.

Cuando sentía que el dolor atacaba de nuevo, en lugar de permitir que la herida profundizara más, me imaginaba a mí misma, a mi antiguo jefe, a Jesús y a nuestros ángeles de la guarda sentados en círculo, intentando hablar de las cosas con amor y no con miedo o ira. Al principio me resultaba muy difícil porque los recuerdos dolorosos me asaltaban continuamente. Entonces tenía que volver a entrar en la sala que había creado mentalmente y concentrarme en la conversación. (Más tarde aprendí a crear un ambiente de carácter neutral y sanador en lugar de uno asociado con el dolor.)

Cuando participé en el congreso, había llegado a un punto en que era capaz de estrechar la mano a mi ángel de la guarda, aunque no a mi jefe. Más tarde pude visualizar a Jesús abrazándonos a mi jefe y a mí. Estoy convencida de que, en este mundo o en el otro, mi jefe y yo nos reuniremos en la luz de Dios y conseguiremos curar todas las heridas que puedan permanecer abiertas.

Vivir en el perdón

Si aceptamos el hecho de que somos hijos de Dios, debemos comprometernos totalmente a vivir una vida gobernada por el amor que sea digna de nuestro Creador. No sólo tenemos que esforzarnos por estar en paz con nosotros mismos y con los demás, sino que también debemos trabajar para perdonar a todos aquellos

117

que nos hayan herido u ofendido. No debemos hacer concesiones con las heridas mortales. No tenemos derecho a pensar que podemos vivir con una herida. Debemos esforzarnos para curarlas, porque fuimos creados para alcanzar la plenitud.

Esto significa que cuando el amor no está presente en nuestros actos, cuando hacemos algo que hiere a otras personas, debemos pedirles perdón. No importa cuál fuera nuestra intención; si hacemos daño a alguien, aunque sea involuntariamente, necesitamos pedirle perdón.

Y también debemos esforzarnos por perdonar a aquellas personas que nos hayan herido, tanto si piden perdón por ello como si no. Si no ayudamos a los demás a curarse, nosotros tampoco seremos capaces de curarnos. En una ocasión, san Pedro le preguntó a Jesús cuántas veces tenía que perdonar a alguien.

«—¿Hasta siete veces? —preguntó.

—No te digo hasta siete veces —respondió Jesús—, sino hasta setenta veces siete.»

Con estas palabras, Jesús quería explicar que no existen límites para el perdón, y también dijo: «Si alguien peca contra ti siete veces en un día, y siete veces en un día te pide perdón, debes perdonarle».

Cuando alguien te hiere, tal vez se dará cuenta de que no ha actuado correctamente, y entonces te dirá: «Lo siento mucho. ¿Podrás perdonarme por lo que hice?» Cuando te encuentres en esta situación, no cometas el error de contestar: «No pasa nada, son cosas que ocurren. Olvídalo». Aquella persona ha acudido a ti en busca de perdón y no de indiferencia, en busca de un arreglo y no de un parche. Lo más importante que debes decirle es: «Sí, te perdono».

Debemos recordar que el perdón es un acto voluntario, una decisión consciente. Aunque todavía nos sintamos heridos, somos capaces de tomar la decisión de perdonar. Si la herida es tan profunda que no estamos preparados para perdonar, al menos debemos ser conscientes de ello y pedir ayuda a Dios y a nuestros ángeles, especialmente a Rafael, que es el ángel sanador por excelencia. Debemos tener muy presente la existencia de una herida porque, si la ignoramos, puede infectarse y envenenar nuestra alma.

Y cuando seamos nosotros quienes pidamos perdón, no aceptemos un «no pasa nada» por respuesta. Pidamos si realmente nos perdonan. Si la persona a la que hayamos herido es capaz de hacerlo, la reconciliación y la sanación serán mucho más rápidas y completas. En estas ocasiones, a mí me ayuda mucho hablar con el ángel de la guarda de la otra persona con antelación. Le pido al ángel que ayude a la otra persona a saber que voy a pedirle perdón por algo. Y cuando alguien me ha herido a mí, pido a sus ángeles que le hagan ver que me ha hecho daño para que pueda pedirme perdón.

Perdonarnos los unos a los otros

Como todos sabemos por experiencia propia, a menudo ocurre que no somos capaces de perdonar a alguien que nos ha hecho mucho daño, aunque esa persona nos pida perdón. Unas semanas después de regresar del Segundo Congreso Americano sobre Ángeles en junio de 1993, una amiga (la llamaré Annaliese) me telefoneó para preguntarme si podía «despedir» al ángel de la guarda de su marido. Estaba furiosa porque acababa de descubrir que su marido (le llamaré Pak) había tenido una breve aventura con una compañera de trabajo.

—Ya no merece tener a ningún ángel de la guarda —me dijo.

Me sorprendió mucho porque jamás habría pensado que su marido podía serle infiel, pero de todos modos tuve que responderle que no podía despedir a su ángel de la guarda porque, en primer lugar, no lo había «contratado» ella. Lo que necesitaba era que su marido le pidiera perdón y que ella fuera capaz de perdonarle para que pudieran reconciliarse. (Evidentemente, su relación necesitaba una curación más profunda que aquella, pero al menos la reconciliación sería un primer paso.) Por lo que me contó, ella estaba satisfecha de su matrimonio hasta que ocurrió aquel incidente.

—¡Nunca le perdonaré! —me dijo llorando—. ¡Lo que hizo es imperdonable!

Siguió repitiendo lo mismo varias veces. Estaba claro que se sentía muy herida.

—¿Y qué te dijo él? —le pregunté.

—Me dijo que el día de la Fiesta Nacional se emborrachó mientras lo celebraban en la oficina y olvidó quién era, y que se había terminado y no volvería a repetirse jamás.

—¿Y tú qué le dijiste?

—Le dije que quería que se marchara.

Siguió hablando varios minutos hasta que por fin pude pararla.

—Me parece que ninguno de los dos estáis afrontando el problema como debierais. En realidad, tu marido no te ha pedido perdón, y por lo tanto tú no te has visto obligada a decidir si quieres perdonarle o no. Y habéis dejado que vuestro orgullo herido empeore la situación todavía más. Los dos estáis dando vueltas al problema sin atacarlo de verdad y, aunque decidierais seguir juntos, nunca lo superarías ni te curarías.

Yo sabía que aquella herida dejaría una gran cicatriz, y las cicatrices no desaparecen. Llorando, mi amiga me pidió ayuda.

—¿No puedes conseguir que tus ángeles hagan algo?

—¿Por qué no pides ayuda a tus propios ángeles?

Le dije que hiciera tres cosas: en primer lugar, que rezara a Dios para pedirle que la liberara de su amor propio herido y fuera capaz de enfrentarse al problema con serenidad; en segundo lugar, que le pidiera a su ángel que le enseñara a perdonar a su marido; y en tercer lugar, que pidiera al ángel de la guarda de su marido que le incitara a pedirle perdón. Annaliese accedió a hacer estas tres cosas cada día durante una semana y después volver a llamarme.

Al cabo de dos días, Pak me llamó por teléfono y me dijo que Annaliese le había contado nuestra conversación.

—Ella no me escuchará —me dijo en tono triste—. He intentado pedirle perdón, le he comprado flores, pero siempre me ignora.

—¿Le has pedido claramente que te perdone por

haberle hecho tanto daño y por haber roto los votos que hiciste el día de vuestra boda?

—Le dije que lo sentía mucho.

Le expliqué que decir «lo siento mucho» no es más que una afirmación muy personal que no permite ser consciente de la herida de la otra persona e intentar curarla.

—¿Qué puedo hacer? No escuchará nada de lo que le diga. No hablará conmigo.

Los dos eran incapaces de solucionar el problema: Pak porque se sentía demasiado despreciable, y Annaliese porque su amor propio herido no se lo permitía. Le aconsejé que, durante una semana, él también debería hacer tres cosas: en primer lugar, decir a Dios cuánto sentía haberle hecho daño a su esposa; en segundo lugar, pedirle a su ángel que le dijera a Annaliese lo mucho que sentía haberla herido; y en tercer lugar, pedirle directamente a su mujer que le perdonara por haberle sido infiel.

Aproximadamente una semana después, Pak volvió a llamarme.

—He hecho todo lo que me dijiste. Cada vez que paso por su lado le digo: "Cariño, siento haberte hecho daño. Por favor, te suplico que me perdones". Pero ella sigue diciendo que no puede.

—Al menos te habla —le respondí—. El perdón empieza con la comunicación.

Le dije que siguiera pidiendo a su ángel que le ayu-dara a comunicar su esperanza de ser perdonado. Al cabo de unos días me llamó su mujer.

—Pak y yo hemos pensado que tal vez querrías venir a cenar a casa para hablar con nosotros —me

122

dijo—. Creemos que necesitamos la ayuda de alguien que actúe como mediador.

Quedé un poco desconcertada porque no me considero la persona apropiada para actuar como consejera ni mucho menos, pero escuché lo que Dios decía en mi corazón y sentí que tenía que ir, sólo como amiga, y confiar en que Dios me inspirara para saber qué decir.

Aquel día, mientras rezaba pidiendo a Dios que me iluminara, recordé un pasaje del libro de Job que habla del deseo de este personaje de que un ángel actúe como su mediador ante Dios (Job 33, 23). Le pedí a Dios que me concediera la capacidad necesaria para oír lo que mi ángel mediador pudiera decirme sobre las necesidades de aquella pareja. Y mentalmente empecé a ver cómo podría ser capaz de ayudar.

Cuando llegué a su casa, les propuse que nos sentáramos un rato antes de cenar. Fue una situación muy violenta porque tanto Annaliese como Pak se negaron a sentarse el uno cerca del otro.

Les expliqué que mi intención no era hablar directamente del problema, sino más bien rezar y meditar juntos, y entonces accedieron. Vi claramente que ambos deseaban ser perdonados y curar sus heridas, pero uno se sentía demasiado herido para ser capaz de hacerlo y el otro estaba demasiado deprimido para seguir pidiéndolo.

Empecé rezando en voz alta, encomendándonos a los tres al amor de Dios a través del ministerio de nues-tros ángeles. Pedí que se nos concediera fe para conseguir lo que yo consideraba esencial: pedir perdón y perdonar.

Entonces enseñé unos ejercicios de respiración y de

relajación a Annaliese y a Pak y, cuando me pareció que había llegado el momento, inicié la meditación.

—Ambos estáis sentados en un banco del lago Echo (un parque de la ciudad). Es muy temprano, no hay nadie aparte de vosotros dos. A vuestro alrededor hay una hermosa luz azul que simboliza la presencia de Dios. Vuestros ángeles de la guarda están de pie frente a vosotros. Visualizad estos mensajeros celestiales que velan por vosotros. En primer lugar, quiero que los dos ofrezcáis vuestras oraciones a Dios, del que proviene todo el amor y el perdón. Las tinieblas han intentado apoderarse de vosotros y, como resultado, os habéis visto atrapados por vuestros propios sentimientos de culpabilidad, desesperación u odio, y la voz reconfortante de Dios ha sido engullida por un mar de emociones. Ahora vais a pedir ayuda a vuestros ángeles de la guarda. Pak, tú debes confesar el daño que le has hecho a tu mujer para que puedas pedirle perdón. Annaliese, tú necesitas pedir ayuda para eliminar el rencor y el dolor que te están atormentando.

Ambos hicieron lo que les había pedido.

—Ahora, Annaliese, quiero que hables con el ángel de la guarda de Pak y le pidas que le ayude a pedir perdón. Y Pak, tú debes hablar con el ángel de la guarda de Annaliese y pedirle que le ayude a eliminar el resentimiento de su corazón para que pueda perdonarte.

Annaliese y Pak siguieron mis indicaciones con gran sinceridad y supe que Dios, a través de los ángeles, estaba trabajando en sus corazones. Pero también sentí que los ángeles caídos, cuyo mayor placer consiste en fomentar la separación y la división, no se retirarían sin antes luchar. Les expliqué que tendrían que llamar a Miguel, el encargado de «luchar» contra los ángeles del mal. Les dije que visualizaran a estos ángeles, pero que no tuvieran miedo porque la luz de Dios les protegía, mientras Miguel y su ejército celestial les derrotaban. Más tarde, los dos me contaron que habían visto una dura batalla que tenía lugar a su alrededor mientras estaban sentados en el banco del parque. Les dije que, para conseguir lo que deseaban, tenían que utilizar toda su fuerza de voluntad para eliminar cualquier representación del mal que enturbiara sus vidas y estuviera relacionada con el asunto en cuestión.

De repente, Annaliese se levantó y, con expresión furiosa, se dirigió rápidamente hacia la cocina. Hubiera ido tras ella, pero Pak empezó a llorar balbuceando palabras en coreano (su lengua materna). La gracia de Dios había penetrado en su corazón y, además de liberarse de influencias negativas, por primera vez se dio realmente cuenta de lo que había hecho a su mujer.

Fui a la cocina, donde Annaliese también estaba llorando. Las palabras y las lágrimas de su marido la habían conmovido. La llevé de vuelta al comedor y, agrablemente sorprendida, observé cómo, sin darse cuenta, Annaliese se sentaba al lado de Pak. Tardaron unos minutos en tranquilizarse, porque ambos estaban absortos en sus propios pensamientos.

—Miguel ha expulsado a los ángeles del mal gracias al poder de Dios —les dije, en cuanto hubieron recuperado la calma—. Pak, ¿no tienes nada que decirle a tu esposa?

Guardé silencio con la esperanza de que hablara, y así lo hizo.

—Annaliese —dijo, mientras rompía a llorar de nuevo—, siento mucho haberte hecho daño. Te quiero. Cometí un grave error. ¿Podrás perdonarme algún día?

Finalmente pronunció las palabras necesarias, y lo hizo con gran sinceridad. Annaliese le abrazó y también rompió a llorar. Aún dudaba un poco, y yo sabía que todavía se sentía herida.

—Sí, Pak, te perdono —dijo finalmente—. Yo también te quiero.

Y, por primera vez desde que había llegado a su casa, se miraron a los ojos. Les dije que terminaríamos la sesión de meditación.

—Ahora el parque está lleno de ángeles que bailan porque están contentos por vosotros. También hay los ángeles de vuestros compañeros de trabajo y conocidos, porque ahora toda la energía negativa de vuestras vidas ha desaparecido y ya no puede afectar a las personas por quienes velan, la gente que encontráis todos los días en el trabajo y en las tiendas. La luz que os rodea cada vez es más brillante y más clara, y deja de ser de un color azul protector para transformarse en un radiante dorado y blanco. Dad gracias a Dios por la iluminación que os ha ayudado a derribar el muro que os separaba. Ahora llamad a Rafael, el Sanador de Dios, y pedidle que transmita vuestra necesidad de sanación al Señor. Visualizad a Jesús mientras os envía su amor. Annaliese, confía en que tus sentimientos heridos se curarán. Pak, ten fe porque dejarás de sentirte despreciable.

Les recordé que también se perdonaran a sí mismos y pidieran perdón a Dios. Y, finalmente, les dije que imaginaran que se unían a los ángeles y que los pasos de baile les conducían hacia el cielo.

Los tres tardamos un rato en recuperarnos totalmente de aquella experiencia. Para mí fue una de las más intensas que jamás he compartido con otras personas. Annaliese y Pak estaban tan ansiosos por resolver aquella situación que ambos odiaban, que dedicaron todas sus energías a conseguirlo.

Aquel día ni siquiera pensamos en la cena. Hasta pasada la medianoche, estuvimos hablando de formas de continuar el proceso de sanación. Le recordé a Annaliese que reafirmara su perdón durante algún tiempo hasta que sus sentimientos heridos se curaran por completo. Ambos decidieron acudir a un consejero.

Durante algunos meses, Pak y Annaliese se esforzaron por curar su relación a través del perdón. No hubo más luces celestiales resplandecientes, ni apariciones de ángeles, ni milagros, pero tanto Annaliese como su marido me dijeron varias veces que notaban la presencia de su ángel de la guarda y de otro ángel al que llamaban «el ángel de su matrimonio». Me contaron que lo más difícil era curar los sentimientos heridos y los recuerdos dolorosos. Annaliese seguía soñando con el momento en que descubrió la infidelidad de su marido (a través de una carta bienintencionada pero anónima). Pak aseguraba que creía morir cada vez que revivía el momento en que Annaliese le enseñó la carta y, con lágrimas en los ojos, le preguntó si lo que decía era cierto.

Les enseñé cómo podían visualizar la escena de modo que les sirviera para curar los recuerdos dolorosos. A Annaliese le expliqué que, cada vez que la asaltaran los recuerdos, debía imaginar que tenía la carta cerrada en las manos y que hablaba con su ángel de la guarda, y éste la abrazaba y le decía que estaba allí para ayudarla. Le pedí a Pak que hiciera lo mismo y que imaginara a su ángel diciéndole lo mucho que tanto él como Dios le querían.

También les recomendé que intentaran ser ángeles el uno para el otro, haciendo pequeñas cosas por el otro sin esperar nada a cambio. De este modo construirían un tesoro de recuerdos agradables y también comprenderían mejor el tipo de cosas que los ángeles hacen por nosotros para ayudarnos sin que nos demos cuenta.

Mientras escribo estas palabras, Annaliese y Pak todavía siguen esforzándose por curar los recuerdos negativos y, con la gracia de Dios y la ayuda de los ángeles, lo están consiguiendo.

El perdón divino

El perdón no es simplemente una cuestión entre dos individuos; Dios también tiene mucho que ver en ello. Cuando hemos hecho daño a alguien, a nosotros mismos o incluso a nuestro entorno, también debemos pedir perdón a Dios. Dios creó un bello y perfecto orden en el mundo. Siempre que rompemos esta armonía creando división y separación sin respetar el plan divino, debemos pedir a Dios que nos perdone, y no sólo eso, sino también que nos ilumine y nos conceda una mayor capacidad de comprensión para poder crecer y reparar el daño que hayamos causado. Y Dios, cuya compasión es infinita, siempre se apiadará de nosotros y nos perdonará, y además nos concederá la sabiduría y la gracia que necesitamos para mejorar nuestras vidas.

Con frecuencia los ángeles actúan como mediadores: nos hacen llegar estos dones que Dios nos concede e intentan ayudarnos para que los utilicemos correctamente. Los ángeles viven de acuerdo con el amor y la luz de Dios de forma muy diferente a nosotros, al menos mientras estamos en este mundo. Todo lo que hacen está en armonía con el plan divino, no tienen agendas particulares. Y puesto que el perdón y la sanación forman parte del plan divino, los ángeles siempre buscan la manera de ayudarnos a perdonar y a ser perdonados.

Perdonarnos a nosotros mismos

A veces el mayor obstáculo que nos impide alcanzar la curación es nuestra incapacidad de perdonar nuestras propias faltas, incluso cuando nuestra fe nos dice que Dios nos ha perdonado y las demás personas implicadas también nos han ofrecido su perdón. Pak se encontraba en esta situación. De vez en cuando todavía se culpa por lo que pasó y se atormenta a sí mismo, a pesar de que Annaliese le haya perdonado de corazón y nunca le haya vuelto a hablar del tema.

Yo creo que si no podemos perdonarnos a nosotros mismos es por culpa de nuestro amor propio, ya sea por exceso o por defecto. A veces nos vemos tan despreciables que no somos capaces de convencernos

129

de que merecemos ser perdonados por algún error que hemos cometido. Ni siquiera podemos tener la esperanza de que la otra persona nos perdone de verdad. Decimos que aceptamos su perdón, pero interiormente pensamos que, si aquella persona supiera lo despreciables que somos, seguro que jamás nos perdonaría. No nos amamos ni nos consideramos dignos de ser amados.

Yo fui víctima de estos pensamientos negativos durante muchos años. No tenía el atractivo físico de otras chicas y mujeres de mi edad, y los demás no apreciaban demasiado mis cualidades. Llegué a pensar que si alguna cosa no funcionaba era por culpa mía, y que yo tenía la culpa de que fuera por mi culpa.

En mi caso, la fe en el amor que Dios había demostrado enviando a Jesús a la Tierra fue lo que me hizo cambiar. Al igual que muchas personas, conocí la religión que ve a Dios como un patriarca sentado en su trono, dispuesto a castigar duramente a los humanos por cualquier infracción, y la rechacé. Pero cuando me di cuenta de que Jesús era un reflejo perfecto del amor divino, comprendí que tenía derecho a ser amada y fui capaz de establecer la diferencia entre hacer cosas malas y ser una mala persona.

Cuando una persona se subestima a sí misma, este sentimiento puede interponerse en su camino hacia la curación. A menudo resulta muy útil crear una afirmación personal y utilizarla siempre que sea posible, como por ejemplo: *Querido Dios, sé que tú me amas y, por consiguiente, me amo a mí misma.*

Me gusta especialmente el pasaje del libro de la Sabiduría que dice así: «Señor, tú amas todo lo que existe y no aborreces nada de lo hiciste, pues si algo aborrecieses no lo hubieras creado».

Nuestros ángeles se esfuerzan por hacernos comprender que Dios nos ama. Ellos nos quieren con todo su amor, que no es poco. Con frecuencia recomiendo a la gente que visualicen a su ángel de pie frente a ellos rodeándoles con su amor, representado por una luz rosada. (El color rosa no tiene nada de especial, pero la mayoría de la gente lo asocia con el cariño.) Si deseas humanizar a tu ángel convirtiéndolo en hombre o mujer, dándole alas o vistiéndolo con una hermosa túnica, hazlo sin temor alguno.

Después piensa en las cosas que más daño te hacen interiormente y siente la intensidad del abrazo del ángel. Visualiza la luz que cada vez es más brillante y de color más intenso hasta que se convierte en una luz roja y cálida. Escucha cómo tus ángeles te dicen que te quieren.

Por otro lado, a veces experimentamos la reacción opuesta: nuestro amor propio es tan enorme que somos incapaces de reconocer que hicimos algo por lo que necesitemos ser perdonados. Olvidamos que somos humanos y cometemos errores. No podemos perdonarnos porque nos hemos convertido en un Dios vengativo que no tiene compasión de la debilidad. A Pak también le sucedió esto. Es una persona muy perfeccionista y está obsesionado por actuar correctamente en todo momento.

Transformar a Dios de juez a padre cariñoso es un proceso difícil pero no imposible, si realmente uno lo desea. El modo de conseguirlo está más allá de las competencias de este libro, pero sé que los ángeles nos ayudarán en todo lo que emprendamos. Y cuando ya no consideremos a Dios como un ser dispuesto a castigarnos en cualquier momento, entonces el amor y la compasión entrarán en nuestros corazones y podremos dejar de castigarnos para siempre.

El proceso de perdonar puede ser muy lento y complejo, pero el perdón en sí es algo muy simple. Es la forma de restaurar la armonía, que el pecado y la malicia han perturbado, en nuestras vidas, en las vidas de aquellos que nos rodean y en el universo. Si somos conscientes de la necesidad de perdonar y ser perdonados, pedimos a Dios que nos ayude a comprender, y trabajamos con nuestros ángeles para mejorar nuestras vidas, podremos alcanzar la sanación y curar al mundo con nosotros.

5

REZAR CON NUESTROS ÁNGELES PARA ALCANZAR LA SANACIÓN

> *Mas si hay entonces junto a él un ángel, un*
> *mediador, uno entre mil, que enseñe al hombre*
> *su deber, que tenga compasión de él... que rue-*
> *gue a Dios por él...*
>
> Job 33, 23-26

Si el perdón es la base de la sanación, la oración es el combustible. Rezar es hablar con Dios con palabras, ya sea en voz alta o en silencio, conversar con la Fuente de todo lo que somos y tenemos. Y como Dios nos quiere, nos escucha y presta atención a lo que le decimos, responde a nuestras plegarias.

La meditación, que está muy relacionada con la oración, es el proceso mediante el cual intentamos eliminar las palabras y las ideas de nuestra mente para poder escuchar atentamente lo que Dios nos dice, ya sea directamente o a través de los ángeles. Algunos tipos de meditación, sobre todo los destinados a ayudar a concentrarnos en nuestras necesidades, se centran deliberadamente en uno mismo, lo cual no es necesariamente negativo. Pero el objetivo de la meditación relacionada con la oración es la *kenosis*, que consiste en vaciarse del amor propio para llenarse de la presencia de Dios.

La contemplación es una plegaria activa y dirigida por Dios sin palabras ni conceptos o imágenes mentales, como la corriente continua en contraste con la corriente alterna. La contemplación, como por ejemplo la visita de un ángel, es un don que no se nos concede a cambio de nuestro esfuerzo, aunque podemos y debemos realizar otras prácticas para que en estos casos podamos ser receptivos.

La oración es tan simple como cualquier otra forma de hablar, pero para nosotros, los humanos, la dificultad reside en que normalmente no podemos ver ni percibir con los sentidos a nuestro interlocutor, Dios, y no podemos hacer nada para que esto cambie. Dios manifiesta su divina presencia de formas y en momentos que escapan a nuestro control. Por este motivo, a menudo dejamos de rezar porque Dios no nos responde de la forma o en el momento que deseamos, lo cual es un grave error.

Las personas tenemos la necesidad de buscar a Dios, es inherente a nuestra condición humana, es tan esencial como comer o respirar. El filósofo francés Blas Pascal dijo en una ocasión que en el centro de cada alma humana hay un hueco que tiene la forma de Dios y que sentimos el impulso de llenarlo. Mucho antes que Pascal, san Agustín dijo: «Nuestros corazones están intranquilos, Señor, y no podrán tranquilizarse hasta que reposen en ti».

Cada persona y cada cultura busca a Dios a través de los sistemas que conoce. Los primeros textos escritos de la antigua Sumeria hablan de Dios. Las tumbas de la Edad de Piedra demuestran que en aquella época se creía en otro mundo más allá del nuestro.

El problema aparece cuando olvidamos nuestra espiritualidad. Durante demasiado tiempo hemos venerado a una trinidad formada por los dioses llamados Dinero, Poder y Prestigio, y como resultado nos hemos sentido pobres, humillados y necesitados. ¿Por qué? Porque hemos entregado nuestras almas a cosas nada positivas, y nuestro espíritu inmortal sólo puede ser alimentado por Dios. Si queremos curar nuestras vidas, debemos reajustar nuestra escala de valores. Los ángeles lo saben, porque sus prioridades son las que deben ser: Dios ante todo y todo según la voluntad de Dios.

Viviremos poco tiempo en este planeta, y debemos hacer todo lo que podamos con las cualidades y los dones que tenemos, pero nuestro destino no pertenece a este mundo. Cuando nos despojemos de nuestro traje espacial, es decir, de nuestro cuerpo, nuestro espíritu inmortal entrará en un reino eterno donde la capacidad de percibir a Dios alcanzará unos niveles muy superiores a todo lo que podamos imaginar aquí en la Tierra, un reino donde podremos crecer, desarrollarnos y evolucionar eternamente con el amor y la sabiduría de Dios. Y la forma de orientarnos hacia Dios en este mundo, como preparación para el futuro eterno, es la oración.

Todos los seres racionales creados rezan o hablan con Dios. Los ángeles dirigen sus oraciones a Dios igual que nosotros, pero como ellos son espíritus que no soportan el peso de un traje espacial, su plegaria es la contemplación, libre de palabras y conceptos tal como nosotros los conocemos.

La plegaria habita en el corazón de cada ángel. Mucho antes de que existiera una Tierra que proteger o seres humanos por los que velar, los ángeles existían para reflejar la gloria de lo divino. En el libro de Job 38, 4. 7, Dios pregunta a Job: «¿Dónde estabas tú cuando fundaba yo la Tierra, cuando asenté su piedra angular, mientras a coro cantaban las estrellas del alba y exultaban todos los hijos de Dios?»

Rezamos, en solitario o con otras personas, por muchas razones, y la mayoría de ellas se parecen a los motivos de los ángeles. Cuanto más capaces seamos de rezar no sólo *con* los ángeles, sino *como* los ángeles, mejor comprenderemos quiénes somos realmente y cómo podemos sanar nuestras vidas, porque estaremos más cerca de Dios, nuestro sanador.

Existen cinco tipos básicos de oración: adoración, alabanzas, acción de gracias, petición y arrepentimiento. Si estas palabras os suenan demasiado extrañas, sustituidlas por: amar, admirar, dar las gracias, pedir y decir lo siento.

Adoración

La forma de oración más básica es la adoración. Cuando rezamos de este modo, nuestras oraciones se parecen mucho a las de los ángeles.

Adorar es ensalzar a Dios y ser conscientes de la relación de amor que existe entre Él y nosotros. Es comprender que Dios es Dios y que nosotros, indudablemente, no somos Dios. Adorar nos conduce a la sanación porque establece una relación adecuada entre nosotros y el Creador de todas las cosas; nos ayuda a poner en claro quiénes somos nosotros y quién es Dios. Nos ayuda a mantener nuestro pies firmemente apoyados en el camino de la realidad. La adoración nos abre los ojos para que podamos vernos como realmente somos. Nos llena de luz para que podamos ver todo lo que ocultan las tinieblas de nuestras vidas.

La plegaria más esencial de los ángeles se basa en la adoración; todas las religiones lo confirman. Cuando Isaías vio a Dios, también vio a serafines, seres celestiales que exclamaban: «Santo, santo, santo, Señor todopoderoso» (Isaías 6, 2). En su visión de Dios, Juan también incluye a «miles y miles» de ángeles que se arrodillaban ante Dios sentado en su trono y «adoraban al Dios eterno».

En cierto modo, la adoración es el tipo de oración más duro para nosotros, porque es necesario olvidarnos de nosotros mismos por completo y concentrarnos en la perfección de lo divino. Tenemos que abandonar el pensamiento egoísta de que somos el centro del universo y comprobar, junto con el poeta T. S. Eliot, que Dios es «el eje alrededor del cual gira el mundo».

Alabanzas

Alabar es el segundo tipo de oración tanto para los humanos como para los ángeles. Sólo seremos capaces de alabar a Dios después de haberlo adorado, de haber comprendido quiénes somos en relación a Dios. Alabar es reconocer las maravillosas cualidades de Dios, como el amor, la sabiduría, la compasión, el poder, etc.

Los ángeles alaban a Dios porque agradecen y aman el plan divino. Son capaces de comprender mejor que nosotros el propósito de Dios al crear el mundo y darnos (a los humanos y a los ángeles) inteligencia y vida eterna.

Alabar a Dios puede sernos de gran ayuda, puesto que nos obliga a olvidarnos de nosotros mismos y reducir nuestro egoísmo. Cuando alabamos a Dios ensalzamos todas sus fabulosas cualidades divinas. El mero hecho de hablar de amor, belleza, serenidad, paz, conocimiento, paciencia y otras cualidades hace que nos sintamos mejor. Toda nuestra atención se concentra en las maravillas de lo divino y dejamos de pensar en nosotros mismos, pero la energía espiritual que sentimos cuando nos comunicamos con Dios de esta forma es muy positiva para nuestras vidas. Éste es uno de los motivos por los que los ángeles nos impulsan a rezar. Saben que la oración es una fuente de energía y que esa energía es una fuerza sanadora.

Cuando adoremos o alabemos a Dios, los ángeles siempre nos acompañarán. Uno de los últimos consejos que Rafael dio a Tobías y a su familia fue: «Bendecid a Dios y cantad himnos en su honor todos los días» (Tobías 12, 18). Los salmos, esos bellos cantos universales, incluso animan a los ángeles a alabar al Altísimo: «Alabadlo, todos sus ángeles; alabadlo, todos sus ejércitos» (Salmos 148, 2).

Bendición y acción de gracias

La oración basada en la acción de gracias es la primera que incluye parcialmente a la persona que reza. Cuando alabamos o adoramos al Señor nos centramos exclusivamente en Dios y nos olvidamos de nosotros mismos. En la acción de gracias, hablamos a Dios de nosotros. Reconocemos el amor y la gracia de Dios que iluminan nuestras vidas. Le damos gracias por su amor, preocupación, ayuda, iluminación, salvación, paz y muchas otras cosas más.

El título de este apartado es «Bendición y acción de gracias» porque son dos cosas diferentes. Bendecir es una especie de mezcla entre las alabanzas y la acción de gracias, es dar las gracias sin hablar en términos de algo humano por lo que estamos agradecidos. No damos gracias a Dios por algo que hemos recibido, sino por las maravillas, el amor y la belleza de la Fuente de todas las cosas.

Yo creo que nuestra capacidad y nuestro deseo de hablar con Dios mediante la acción de gracias es una especie de barómetro que indica el grado de sanación que se ha producido en nuestras vidas. Después de todo, la curación, ya sea física o espiritual, es algo que debemos agradecer a Dios. Si no recordamos haber agradecido a Dios que curara nuestras vidas, tal vez sea porque debemos esforzarnos más en alcanzar esta curación.

Los ángeles también dirigen su agradecimiento a Dios. Espero que esto no te resulte extraño. Al igual que nosotros, los ángeles también son criaturas cuya vida y crecimiento dependen totalmente de la misma

Fuente. Los ángeles dan gracias a Dios por muchas cosas que nosotros también agradecemos: vida, amor, espiritualidad, capacidad de comprensión y de crecimiento, etc. Bendicen a Dios por el plan divino, tan lleno de sabiduría y magnificencia.

Cuando damos gracias a Dios, los ángeles siempre unen sus plegarias a las nuestras, pero las unas divergirán de las otras porque la acción de gracias es un tipo de oración centrada en nosotros mismos. Cuando decimos: «Oh, Dios, te bendigo por las bellezas del mundo», los ángeles se unirán a nosotros y sus plegarias serán idénticas (a pesar de que su capacidad de apreciar las bellezas del mundo sea mucho mayor que la nuestra). Pero cuando rezamos: «Oh, Dios, gracias por ayudarme a superar la pérdida de mi empleo el año pasado», nuestros ángeles rezarán de forma paralela pero no con las mismas palabras, porque el año pasado ellos no perdieron ningún empleo. Seguramente dirán: «Oh, Dios, gracias por haberme mostrado la forma de ayudar a Eileen a darse cuenta de las maravillosas cosas que tienes reservadas para su futuro. Gracias por haberme permitido transmitirle tu amor sanador».

Así pues, los ángeles se unirán a nosotros siempre que demos gracias a Dios por todo lo que hemos recibido, pero seguramente se unirán al espíritu de la plegaria y no a nuestros sentimientos.

Dar las gracias es una actitud muy característica de los humanos. En Estados Unidos incluso tenemos un día dedicado a hacer precisamente eso: el Día de Acción de Gracias, que es la fiesta nacional. En cualquier idioma, una de las palabras que se aprenden con mayor rapidez es precisamente «gracias». Así pues, no debería resultarnos difícil dirigir esta palabra a Dios.

También podemos decir gracias a nuestros ángeles, igual que diríamos gracias a un amigo humano por su ayuda, pero lo hacemos a un nivel diferente de cuando nos dirigimos a Dios. Por ejemplo, no habría sido correcto dar las gracias a Enniss por haberme ayudado a perdonar a mi antiguo jefe, porque no lo hice gracias a él, sino gracias a Dios, al Padre cariñoso que me hizo ver la luz y me dio fuerzas para conseguirlo. Cuando fui capaz de perdonar, di gracias a Dios por aquel don, por la sabiduría, por la iluminación. Pero por otro lado también di las gracias a Enniss, porque sin su consejo, sin sus susurros en mi corazón, tal vez no habría sido capaz de aceptar la ayuda de Dios, me habría aferrado al resentimiento y no habría abierto las puertas de mi alma a la paz.

Todos hemos crecido con la idea de que, en épocas difíciles, debemos darnos cuenta de las cualidades que tenemos. Pero limitándonos a valorar nuestras propias cualidades sólo conseguimos encerrarnos en nosotros mismos y no aprendemos nada. Sólo podemos crecer y curarnos cuando damos gracias a la Fuente de todas nuestras cualidades y salimos de nuestro propio ego. Después de todo, no somos tan avaros como para considerar que la vida es una cuestión de cantidad y no de calidad.

En mi opinión, una de las cosas que los ángeles hacen por nosotros y que nos ayuda mucho es recordarnos la suerte que todos tenemos. Nuestros guardianes celestiales siempre nos hablan de las cosas positivas que forman parte de nosotros. Se esfuerzan por luchar contra todo aquello negativo que nos rodea y que a veces incluso invade nuestros corazones. Existen ángeles caídos, seres tristes y desgraciados que viven en la oscuridad, enfermos de una dolencia terminal que afecta a su espíritu, y su presencia puede infectarnos con sus miasmas negativos, depresivos y destructivos, a menos que sólo escuchemos a nuestros ángeles, que desean lo mejor para nosotros.

Pedir a Dios: petición e intercesión

Existen dos maneras de dirigir nuestras peticiones a Dios: la petición y la intercesión. Cuando pedimos cosas concretas a Dios, ya sean grandes o pequeñas, estamos haciendo una petición.

La intercesión consiste en rezar a Dios de parte de otra persona, ofrecer nuestra ayuda para acercarla al Señor. Este tipo de oración suele ser muy purificadora y nos reporta una gran energía. De hecho, el significado de la palabra indica estar en medio de las cosas. La petición tiene que ver con nosotros, mientras que la intercesión tiene que ver con los demás, pero no son incompatibles ni mucho menos.

Podemos pedir a Dios que se incluya en los límites de nuestra comprensión, y es correcto pedir todo lo que necesitamos y deseamos. Hacerlo puede ser muy positivo para nuestro ego, porque nos obliga a recordar que no somos Dios y que todo lo que somos y tenemos proviene de Él. Evidentemente, cuando recemos por algo o por alguien debemos adoptar la actitud adecuada. Dios no es un hada madrina que convierte calabazas en carrozas en cuanto se lo pedimos. No podemos exigir nada de Dios ni utilizarlo como si se tratara de una herramienta. No existe ninguna fórmula mágica para hacer que Dios esté de acuerdo con lo que nosotros deseamos. Dios es Dios, es decir, el ser supremo.

Y también es cierto que Dios lo sabe todo y conoce nuestras necesidades incluso antes de que las expresemos. Uno de los salmistas bíblicos dijo: «Señor, tú me has examinado y me conoces; sabes cuándo me acuesto y cuando me levanto... No está todavía la palabra en mi lengua y ya, Señor, tú la conoces por entero». Dios lo sabe todo y no es caprichoso, siempre satisfacerá nuestras necesitades.

Sin embargo, Dios no siempre satisfacerá nuestros deseos. Así pues, si pedimos algo que creemos que necesitamos y no lo recibimos, significará que no es una necesidad o que en aquel momento no lo necesitamos.

La intercesión no se centra tanto en nosotros mismos como otros tipos de oración, porque el objeto de nuestra plegaria es otra persona. Cuando rezamos por el bien de alguien, porque le queremos, en nuestro interior se curan muchas heridas invisibles, incluso sin que nos demos cuenta de ello. Siempre he pensado que, cuando intercedemos en favor de los demás, también nosotros nos beneficiamos de una energía sanadora especial. Olvidarnos de nosotros mismos para sentir las necesidades de los demás y transmitirlas a Dios es una forma de restaurar el equilibrio de la creación.

También debemos tener en cuenta que muchas veces puede ocurrir que, mientras pensamos que estamos rezando por el bienestar de otra persona, nuestro ego nos sorprenda por la espalda. Imaginemos por un momento que deseamos que una persona deje de fumar y, de repente, nos damos cuenta de que no estamos tan preocupados por la salud de esa persona como creíamos. En realidad, deseamos que los cigarrillos dejen de perjudicar a nuestra economía doméstica o que ese olor de tabaco que no podemos soportar desaparezca para siempre.

¡Demos gracias a Dios por las oraciones de nuestros ángeles por nosotros! Las peticiones de los ángeles son totalmente diferentes a las nuestras, porque nunca piden cosas para sí mismos. La petición en sí no es una característica de las oraciones de los ángeles. Ellos consagran toda su vida a lo divino, y por este motivo confían plenamente en que ya tienen todo lo que necesitan. Las cosas por las que nosotros rezamos (vida, salud, economía, etc.) no tienen ningún sentido para los ángeles. Gozan de vida eterna y de una salud inalterable, y el dinero es totalmente irrelevante.

Los ángeles interceden por nosotros en todo momento. Evidentemente, el amor de Dios no depende de si nuestros ángeles ocupan cargos importantes en la jerarquía celestial o no. Como intercesores, no existe nadie en todo el universo creado que pueda igualar a los ángeles. Nuestros ángeles de la guarda siempre están intercediendo por nosotros, siempre están de nuestra parte. Job, cuya mayor preocupación era que su ángel actuara como intercesor con un Dios cuyos actos no podía comprender, dijo a sus amigos: «Desde ahora ya tengo en los cielos mi testigo, en las alturas está mi defensor. Mi lamento es mi abogado cuando ante Dios lágrimas vierten mis ojos». (Job 16, 19-20) Nosotros también tenemos ángeles que actúan como mediadores, que siempre interceden por nosotros ante Dios.

Arrepentimiento

Arrepentimiento es una palabra anticuada, pero *ángel* y *humano* también lo son. Este término se refiere a la forma en que reconocemos ante Dios que hemos hecho cosas que no forman parte del plan divino, o que hemos dejado de hacer cosas positivas que deberíamos haber llevado a cabo. Arrepentirnos significa darnos cuenta del mal que hay en nuestras vidas y rechazarlo, y así lo decimos a Dios. Cuando nuestra oración es una plegaria de arrepentimiento, aceptamos la responsabilidad por el mal que hemos hecho o por el bien que no hemos hecho, y decimos a Dios que lo sentimos y es-peramos que no vuelva a suceder. El arrepentimiento es una parte necesaria de nuestras oraciones, porque ninguno de nosotros es perfecto.

Los ángeles no saben cómo arrepentirse. Ningún ángel que sirva a Dios necesita arrepentirse de nada, porque todos viven en perfecta armonía con la voluntad de Dios. Cuando nos arrepentimos no debemos temer a Dios, como un niño que hubiera roto un tarro de mermelada. Nuestro ego ya se encarga de atormentarnos repitiendo: «¿Cómo he podido cometer la estupidez de beber y conducir?» Debemos confiar en Dios igual que un niño confía en su padre, a pesar de que haya hecho algo que éste le había prohibido. Cuando nos arrepentimos no tenemos miedo al castigo, sólo tenemos fe en el Dios que cura. Si queremos curar nuestras vidas, debemos aprender a aceptar la responsabilidad por nuestros actos negativos y por los positivos que no hayamos cumplido.

Si todavía ves a Dios como al patriarca que envía tormentas a la tierra y te espía constantemente para castigarte bajo cualquier pretexto, te recomiendo que pidas a tu ángel que te ayude a rezar con más confianza. El apóstol Juan, seguidor de Jesús, que vivió una de las experiencias no corporales más extraordinarias de la historia, observó: «En el amor no hay temor; por el contrario, el amor perfecto desecha el temor». (1 Juan 4, 18)

Trabajando con los ángeles de Dios he aprendido a creer en esto: nunca rezamos solos. Aunque sea plena noche y nos sintamos tan solos y abandonados como una bandera en la cima del Everest, no lo estamos. Siempre que rezamos, nuestros ángeles también rezan con nosotros, uniéndose a nuestras alabanzas o palabras de adoración y añadiendo sus propios pensamientos a los nuestros cuando damos gracias o pedimos ayuda. Los ángeles siempre se alegran cuando escapamos de las tinieblas para dirigirnos hacia la luz. Nunca estamos tan cerca de los ángeles como cuando rezamos a Dios. Y en los momentos de silencio que siguen a la oración, nuestros corazones están especialmente libres de influencias negativas y abiertos a los ángeles de amor y de luz que Dios nos envía. Podemos escuchar lo que nos dicen más claramente que en cualquier otro momento.

Cuando rezamos con otras personas, contamos con la fuerza de muchos ángeles que se unen a nosotros. Esta práctica puede ser especialmente efectiva cuando nos centramos en nuestra necesidad de sanación. En el capítulo 10 describo cómo podemos rezar con otras personas y con nuestros ángeles para centrarnos en la sanación. Pero recuerda: tanto si rezas a solas como en compañía de otras personas, a tu alrededor siempre hay, como dice san Pablo, «una gran nube de testigos» que comparten su amor y su gozo contigo.

¿Qué condiciones mejores podríamos desear para sanar nuestras vidas?

6

SANAR NUESTRO CUERPO

Todos nosotros somos viajeros eternos. Somos espíritus inmortales destinados a vivir para siempre en la divina Providencia. Fuimos creados para crecer y evolucionar en todos los aspectos que nos caracterizan como humanos (y ser humano es una gloria excepcional) por los siglos de los siglos. Podremos viajar por el universo y explorar los profundos misterios de Dios.

Sin embargo, mientras vivamos en este planeta, debemos llevar trajes espaciales: unos trajes hechos de carne y hueso que nos impiden respirar, orientarnos, alimentarnos y viajar libremente. Estos trajes espaciales, a diferencia de los de los astronautas, forman parte de nosotros mismos. Están fuertemente unidos a nuestra mente, nuestra alma y nuestra vida. Nada puede afectar a uno de estos elementos sin tener consecuencias sobre los demás. Una angustia espiritual puede convertirse en un dolor de estómago demasiado real. Un dolor punzante en la espalda puede convertirse en una preocupación en la mente.

Pasamos la mayor parte del tiempo en este planeta viviendo a través de estos trajes espaciales, pero todos tenemos experiencias que nos confirman lo que interiormente ya sabemos: que este mundo no es nuestro destino final. A veces lo notamos a través de la oración; sabemos que estamos unidos a Dios y a la eternidad por un hilo de nuestro corazón que no somos capaces de definir ni expresar con palabras. A veces vivimos un momento de contemplación en que lo divino nos habla directamente; este momento sobrepasa cualquier palabra o concepto, y entonces nos damos cuenta de que siempre hemos sabido que las palabras no pronunciadas existen. También podemos vivir momentos en que abandonamos nuestros trajes espaciales y experimentamos otras realidades que jamás habríamos imaginado.

Creo que sabemos perfectamente cuándo vivimos uno de esos momentos porque nos resulta imposible describirlo. En mi libro *Touched by Angels* incluí los testimonios de varias personas que describían a los ángeles que habían visto. Ninguna descripción coincidía con las demás, pero, sin embargo, todas concordaban con lo poco que sabemos sobre las manifestaciones angelicales. Por mi experiencia, creo que nuestros sentidos no son capaces de percibir correctamente a un ser de otra dimensión.

Pero ¿qué tiene que ver todo esto con la sanación física y los ángeles? Yo creo que debemos ser conscientes de que nuestros cuerpos son una parte esencial de nuestra existencia, que nuestra carne y nuestra alma están unidas durante un tiempo por voluntad de Dios. ¡No estamos aquí como castigo! Somos estudiantes, y nuestros ángeles son algunos de nuestros maestros.

Algunas personas tienen trajes espaciales más perfectos, mientras que otras necesitan arreglarlo más a menudo. Pero en todos los casos, algún día este traje espacial se estropeará del todo y no tendrá arreglo. Esto se llama muerte, y luchamos contra ello porque la mayoría de nosotros le tenemos miedo, sobre todo aquellas personas que no han buscado o no han sabido encontrar a Dios. Sin estos encuentros espirituales, olvidamos que este mundo no es más (o nada más y nada menos) que una hermosa parada antes de llegar a nuestro destino final. Pensamos que este mundo es todo lo que existe y no queremos abandonarlo, igual que los bebés luchan por no abandonar el vientre de la madre.

Los ángeles vigilan atentamente esta separación del cuerpo y el espíritu. Al igual que las comadronas, los ángeles nos ayudan a despojarnos del traje espacial para pasar a la eternidad. Nos ayudan a superar este glorioso momento y nos conducen ante Dios.

Pero mucho antes de que suceda esto, nuestros ángeles también son los mejores técnicos especialistas en trajes espaciales, porque nos ayudan a reparar, o reparan directamente, los problemas que puedan surgir, tanto si son grandes como pequeños. Como ya he dicho anteriormente, no creo que los ángeles utilicen una varita mágica para curarnos, sino que prefieren enseñarnos la forma de curarnos a nosotros mismos y a buscar la sanación en los demás.

Sin embargo, en ocasiones los ángeles también intervienen de una forma que llamaríamos milagrosa. Dios los envía, como instrumentos de lo divino, para que toquen nuestros cuerpos con la luz sanadora. Pero lo más maravilloso de esto es que los ángeles no se limitan a curarnos físicamente, sino que su energía sanadora atraviesa el traje espacial para curar también al alma. Así sucedió en el caso de Jana Riley.

Presencia sanadora. Jana Riley

Dicen que los ángeles protegen especialmente a las mujeres que están a punto de ser madres, puesto que tanto su ángel como el ángel de la guarda de su bebé velan por ellas. Algunas personas creen que los ángeles de la guarda empiezan a proteger a una persona cuando nace pero, en el fondo de mi alma, estoy convencida de que el ángel de la guarda inicia su tarea en el mismo momento en que la vida empieza a crecer dentro del seno materno. Y ese ángel lucha para proteger la vida de ese bebé que todavía no ha nacido con tanta fuerza como le permiten sus posibilidades. La historia de Jana nos recuerda hasta qué punto pueden protegernos nuestros ángeles de la guarda.

A pesar de que, tumbada en el sofá, casi estaba paralizada por el dolor, seguía abrazando mi vientre en un desesperado intento de proteger al bebé. No podía creer que aquello me estuviera ocurriendo a mí. Un espasmo de dolor recorrió todo mi cuerpo como si fuera una descarga eléctrica y me sentí incapaz de hacer nada, excepto permitir que ocurriera lo inevitable.

Sucedió justo antes de las Navidades de 1978. Por aquel entonces vivía en Carmel, Indiana, cerca de

Indianápolis. Estaba pasando por una época de fuerte tensión. Estaba embarazada de siete meses de mi primer hijo y mi matrimonio acababa de romperse.

Recuerdo cuando el médico me confirmó que estaba embarazada. Fue uno de esos momentos dulces y amargos a la vez. Deseaba tener hijos, igual que la mayoría de mujeres, pero... La relación entre mi marido y yo estaba pasando por un mal momento. De hecho, estábamos pensando en divorciarnos. Pero no ocurrió ninguna tragedia. El que ahora es mi ex marido sigue siendo un buen amigo y un buen padre para nuestro pequeño hijo. Sin embargo, aquel momento no era el más «oportuno» para quedarme embarazada, a pesar de que los niños no nazcan para ser oportunos.

Supe que estaba embarazada incluso antes de que el médico lo confirmara. Dicen que a las dos semanas y media no se puede saber, pero yo lo supe.

En aquella época tenía treinta años, que es más de lo habitual para el primer embarazo. Por este motivo, cuando una semana después empecé a notar pequeñas molestias en el abdomen, no creí que fuera nada importante. Recuerdo la primera vez que sentí dolor. Estaba sentada sobre la cama cuando un dolor punzante me hizo estremecer. Pensé que seguramente era normal que una mujer de mi edad notara algunas cosas diferentes.

Pero los dolores continuaron y, a pesar de que normalmente soporto bastante bien el dolor, visité a mi ginecólogo para estar segura de que todo iba bien. El médico me aseguró que aquellos dolores no tenían importancia y, según las ecografías, todo era normal. Así pues, intenté seguir viviendo mi rutina cotidiana.

Pensé que los médicos estaban muy preparados para realizar su trabajo y que yo no sabía nada del tema.

A pesar de que era capaz de trabajar y de llevar una vida prácticamente normal, fue un embarazo bastante duro en varios aspectos. Tenía hambre constantemente, pero devolvía todo lo que comía. Era muy molesto. Todas las noches se repetía el mismo proceso: comía, sentía náuseas y casi deseaba vomitar para volver a sentirme mejor. Los antojos me impulsaban a comer manzanas y pescado, alimentos que ahora me no gustan demasiado.

A medida que mi barriga crecía, los dolores también aumentaban. A los siete meses eran constantes durante las veinticuatro horas del día, y ya no se trataba de pequeñas molestias que pudiera ignorar. Era como si, a cada momento, alguien perforara mi abdomen con un afilado cuchillo de diez centímetros de largo y lo moviera en su interior. Al principio del embarazo la zona que me dolía tenía unos pocos centímetros de diámetro, pero a los siete meses era como si todo mi vientre se desgarrara por dentro.

No tenía ni idea de lo que podía provocar aquel terrible dolor. No parecía que el bebé ejerciera presión sobre nada; en ese caso habría notado un dolor punzante pero breve. Lo que más me preocupaba era que el médico tampoco pudiera identificar las causas del dolor. Yo no sabía si era una señal de que algo iba mal o si simplemente se trataba de «una de esas cosas normales del embarazo». Dos años después padecí peritonitis, y es posible que esa enfermedad ya empezara a manifestarse durante el embarazo y yo no lo supiera.

Sin embargo, a pesar del dolor constante, no pensaba que pudiera ocurrirle nada malo al bebé. Desde el principio del embarazo experimenté una sensación de paz y seguridad, y supe que el bebé no corría ningún peligro. Creo que mi ángel, o tal vez el ángel de mi bebé, me transmitía aquella sensación para que no me preocupara.

Las cosas se precipitaron en diciembre. Cuando aquel día fui a prepararme algo de comer, no tenía ni idea de que estaba a punto de suceder algo tan terrible (y tan maravilloso). Cuando pienso en ello todavía me pongo a llorar emocionada, con gratitud por la forma en que Dios escuchó mi grito de ayuda y me respondió a través de los ángeles.

Fui a la cocina para preparme un bocadillo. Mientras estaba delante de la nevera pensando en lo que comería, el dolor se apoderó de mí. Jamás he vuelto a sentir nada parecido: una repentina, abrasadora y devastadora explosión de dolor. Parecía como si me estuvieran abriendo el vientre con un cuchillo, como un samurai japonés suicidándose según el rito tradicional. Pensé que interiormente me habría desgarrado por completo. Creí que estaba a punto de morir. En aquel momento también temí por la vida de mi hijo.

La agonía me dejó sin aliento. Pensé que sin duda iba a morir. Apoyándome en todo lo que pude, llegué tambaleando hasta la sala de estar y me desplomé sobre el sofá y apoyé la cabeza sobre uno de los brazos del mueble. Sinceramente, a pesar de que el sofá sólo estaba a unos pocos metros de la cocina, no pensé que conseguiría llegar hasta él.

Por primera vez en todo el embarazo temí por el

bebé que llevaba dentro de mí. ¿Qué estaba pasando? ¿Qué iba a pasar? Empecé a tener mucho miedo, mientras el dolor seguía atormentando todo mi cuerpo.

Y entonces, justo cuando apoyé la cabeza sobre el sofá, sucedió. A menudo me he preguntado si mi ángel, o tal vez el ángel de mi bebé, estaba esperando a que me tumbara en el sofá. Sentí una presencia celestial, una presencia angelical. Parecía como si viniera del techo de la habitación, aunque en realidad no vi que entrara a través del techo. De hecho, a pesar de que lo vi claramente, en realidad no vi nada. No puedo describir lo que experimenté porque no pertenecía en absoluto a este mundo. Las palabras necesarias no existen en ningún idioma que podamos conocer.

La presencia que noté era mucho mayor que yo, o tal vez era una luz, una esencia, un ser, una totalidad. Todas estas palabras son ciertas en parte, pero ninguna de ellas es la apropiada. Vi, pero no con los ojos. Escuché, pero no con los oídos. Todo escapaba a mis sentidos, hasta el punto de que casi eran un estorbo; pero los ángeles sortean cualquier tipo de obstáculos para realizar su trabajo, incluso el obstáculo de nuestros sentidos.

Pero era real, mucho más real que yo misma, mucho más concreto que cualquiera de mis sentidos. En comparación con aquella presencia espiritual, me sentía muy ligera, casi inapreciable. El ángel era lo real, no yo. De hecho, desde entonces a veces noto que mis sentidos son como una especie de velo, un estorbo que me impide contactar plenamente con el reino espiritual. Era como si toda mi vida fuera en blanco y negro y el ángel fuera en tecnicolor, o como si mi vida fuera un viejo disco rayado y el ángel un prodigio de la técnica en disco compacto y sonido estéreo.

Mientras le miraba, aquel ser, aquella presencia, descendió con la delicadeza de una pluma y se situó sobre mí y a mi alrededor, debajo y dentro de mí, llenándome con su presencia, su amor y su poder sanador. El dolor que me atormentaba se disolvió en la energía de aquel ser y se transformó. Se desvaneció como si fuera niebla o humo. Estoy convencida de que aquel ángel no sólo vino para detener mi dolor y transmitirme el amor de Dios, sino también para proteger a mi hijo de lo que estuviera amenazando su vida.

Es prácticamente imposible intentar describir lo que ocurrió. Sentí que el ángel me llenaba de amor, un amor muy distinto a cualquiera que podamos conocer en este mundo. Era un amor indescriptible, pero supe que era amor, un amor incondicional por todas las cosas. Aprendí que el amor no sólo es eterno, sino también infinito. Me di cuenta de que el amor es el objetivo final de todas las cosas, es la respuesta a todas las preguntas.

Sin embargo, al mismo tiempo fue la experiencia más personal y más íntima que jamás he vivido. No sé cómo es posible que el amor pueda ser infinito e íntimo a la vez, pero lo era. Era increíble. Ni siquiera en sueños habría podido imaginar un amor semejante. Era como si aquel ángel hubiera amado a varias personas y animales y, al haberlos amado, había pasado a formar parte de ellos. Yo podía notar el amor que había sentido por cada uno de ellos y, al hacerlo, todos se convirtieron en uno solo.

Mientras el ángel impregnaba todo mi ser de amor y sanación, también pude sentir algo relacionado con sus propios sentimientos. Los sentimientos de los ángeles no son como las emociones humanas. No creo que tuviera sentimientos, sino que *era* sentimientos. Aquel ángel estaba tan lleno de amor procedente del Amor que es la Fuente de todas las cosas, que me pareció que realmente «era» lo que «hacía». Acto, ser, energía... Todas estas palabras significaban lo mismo.

¿Qué sucedió mientras esta presencia angelical llenaba todo mi ser? No estoy segura de ello. No noté nada especial, excepto que el dolor y la preocupación desaparecieron. Tan pronto como aquel ser se posó sobre mí, supe que todo iba bien, que todo era normal, perfecto, pleno. Experimenté una indescriptible sensación de confianza total y supe que no había nada que temer.

Cuando el ángel empezó a separarse de mí, noté que aquella separación me afectaba profundamente. Quería ir con él, sentía la imperiosa necesidad de seguir junto a él. En aquel momento ya no me importaba nada de este mundo.

El ángel no habló, pero me comunicó que no podía ir con él. No necesitó decirme por qué; lo comprendí. Pero la separación me resultaba tan insoportable que le supliqué que no se marchara.

Y entonces, en un gesto de amor y comprensión tan conmovedor que todavía lloro de emoción cuando pienso en ello, el ángel se acercó de nuevo y volvió a llenarme de un gozo y una luz indescriptibles, sólo durante unos segundos, y después volvió a separarse de mí y desapareció. Fue una experiencia breve, pero su recuerdo me quedó grabado en el alma: el beso sanador de un ángel.

No recuerdo cuánto tiempo permanecí en el sofá, bañada en una atmósfera de paz y sanación. Sólo después me di cuenta de que el dolor había desaparecido por completo. Incluso se había curado el recuerdo del dolor, el miedo y la ansiedad. Supe que todo iba bien y que mi hijo estaba fuera de peligro. Sentí una abrumadora sensación de seguridad y confianza.

E incluso más: supe que el dolor no volvería a aparecer. Lo había experimentado constantemente, día y noche, durante siete meses, pero en aquel momento supe que había desaparecido para siempre. Y así fue. A partir de entonces no volví a sentir ni dolores ni molestias.

Finalmente, me levanté del sofá, pero estaba tan conmovida por haber experimentado el amor incondicional de Dios, que no recuerdo nada más de lo que hice aquel día. Flotaba en un océano de amor, un mar de protección. Fui arrastrada por una corriente tan intensa que lo único que deseaba era seguir con ella para siempre. Tardé varios días antes de que mis sentidos volvieran a percibir realmente lo que sucedía a mi alrededor. No diré que volví a la realidad, porque lo que experimenté es la auténtica Realidad, pero sí a mi mundo habitual.

El embarazo siguió su curso sin ningún problema y, aunque el parto fue un poco complicado, mi hijo Ryan nació sano y hermoso.

Cuando pienso en todo lo que ocurrió, me doy cuenta de que aquel ángel curó muchas más cosas aparte del dolor. Muchas personas temen a la vejez, las enfermedades, los accidentes, la muerte, etc., pero ninguna de estas cosas es capaz de hacerme sentir miedo. No temo a nada. Incluso la muerte me parece una especie de hermoso nacimiento a una existencia tan llena de amor que ni siquiera podemos imaginarla, y mucho menos comprenderla.

Nunca hablé con nadie de la experiencia que había vivido aquel día. Era demasiado personal y, además, no sabía cómo expresarlo con palabras. Sólo se lo conté a Ryan cuando tuvo edad suficiente para comprenderlo, porque quería que supiera la importancia que el ángel había tenido en su vida, y me hizo una pregunta muy interesante.

—Mamá —me dijo—, ¿crees que era tu ángel de la guarda o el mío?

Me sorprendió porque en realidad no me lo había planteado nunca. Pero cuanto más pienso en ello, más convencida estoy de que era el ángel de la guarda de Ryan, que vino para protegerle y curarle mientras estaba dentro de mí. Ese ángel ha seguido protegiéndole y salvándole de cualquier mal desde que nació.

Y yo he aprendido mucho, cosas que jamás podré agradecer bastante. He aprendido que Dios es amor incondicional y no un juez tirano que espera que cometamos el más mínimo desliz. He aprendido que ese amor impregna todas las cosas. He comprendido que somos eternos y que, estemos donde estemos, seamos lo que seamos, Dios siempre está con nosotros y en nosotros.

Y aunque mi vida actual sea maravillosa, deseo fervientemente que llegue el día en que volveré a sentir el abrazo de aquel ángel, y ya no me abandonará jamás.

7

SANAR NUESTRO ESPÍRITU

No solemos hablar muy a menudo de las enfermedades del espíritu. Normalmente sustituimos estas palabras por pomposos términos médicos y psicológicos. Pero a veces lo que debe curarse es nuestra orientación y actitud hacia la vida en sí, una visión equivocada de la vida que albergamos en nuestra alma. Esta situación puede manifestarse de varias formas, en adicciones de todo tipo o en actitudes que ignoran las normas morales y de conducta. Es un problema tan complejo como la propia alma, como el espíritu, y tiene consecuencias devastadoras en todos los aspectos de la vida de un individuo: salud, mente, relaciones personales, etc.

Esta incomprensión del objetivo de todos los seres humanos en este planeta resulta muy perjudicial para nosotros y para los demás. Si no nos amamos a nosotros mismos, trataremos al resto del mundo con desprecio. Por el contrario, si pensamos que somos absolutamente perfectos y que sólo importa lo que nosotros deseemos, utilizaremos a las personas y las cosas para conseguir lo que queramos sin preocuparnos por ellos.

En cualquier caso, las enfermedades del espíritu nos impiden vivir plenamente. Destruimos nuestra mente y nuestro cuerpo con adicciones voluntarias, ya sean drogas, sexo o poder. No entablamos relaciones afec-tivas con los demás, no establecemos vínculos de unión con otras personas, a menos que se basen en la dominación y la esclavitud. Toda nuestra vida es un desastre, porque estamos tan desorientados que no sabemos cómo restablecer el equilibrio perdido. Muchas personas que han conseguido superar terribles adicciones han confesado que una parte de sí mismos pedía ayuda a gritos, pero ellos ni siquiera eran capaces de darse cuenta.

Demos gracias a Dios porque, cuando necesitamos ayuda, nuestros ángeles siempre se dan cuenta de ello. Pueden tocarnos directamente y curarnos. También pueden aumentar nuestro dolor, de manera que nos veamos obligados a buscar la curación o morir. Pueden hacer que otras personas entren en nuestras vidas para ayudarnos. O, como en el caso de la historia de John-Ray Johnson, «El ángel del cementerio», pueden hacer las tres cosas.

El ángel del cementerio. John-Ray Johnson

A lo largo de este libro he señalado en varias ocasiones que normalmente los ángeles trabajan con nosotros en silencio, con mucha discreción, manteniéndose en un segundo plano. Esta historia se aleja tanto de lo común que parece ficción. En este caso un ángel

161

no sólo curó, sino que su intervención en la vida del protagonista le hizo cambiar tan radicalmente que no me sorprende que la madre de John-Ray creyera que su hijo tenía delírium tremens. Inicialmente había pensado incluir esta historia en Touched by Angels, *pero en el último momento John-Ray me pidió que no lo hiciera, y los ángeles me enviaron la maravillosa historia de Chantal Lakey en su lugar. John-Ray me pidió que utilizara un seudónimo. «Supongo que puede ser una buena forma de curar mis recuerdos» , dijo.*

Cuando tenía casi dieciocho años, me expulsaron del instituto por jugar. De hecho, tenía mi propio casino en el pupitre del colegio: una ruleta portátil, cartas, dados, etc. Solía reunir a un grupo de chicos y nos íbamos detrás del instituto, saltándonos las clases, a jugar un par de partidas de póquer o a los dados. Estaba loco por el juego, y además era bastante bueno. Cuando no tenía demasiada suerte hacía trampas. Lo cierto es que siempre ganaba dinero. Supongo que ahora parecerá ridículo, pero en 1966, cien dólares a la semana por hacer muy poca cosa era bastante buen negocio.

Evidentemente, el instituto no me sirvió para aprender mucho, porque pocas veces iba a clase. Otro de los motivos era que también me gustaba beber, e iba en camino de convertirme en un alcohólico. Según la ley no podía comprar bebidas alcohólicas, pero eso nunca fue un problema para mí: siempre había chicos mayores que querían jugar conmigo y me compraban la bebida o la utilizaban para apostar cuando no tenían dinero. Llegué a almacenar un verdadero alijo de bebidas alcohólicas que escondía en el garaje de mi casa. Mi bebida favorita era el ron, cuanto más fuerte mejor, y solía mezclarlo a partes iguales con algún refresco en una lata de modo que nadie se daba cuenta, o al menos eso creía. Siempre llevaba una lata conmigo, y los demás chicos del instituto no tardaron en llamarme «el de la lata».

Un día del mes de noviembre de 1966 llegué a clase borracho y con retraso, y me enviaron inmediatamente al despacho del director. No era la primera vez. De hecho, me habían expulsado temporalmente en dos ocasiones desde que había empezado el curso: una vez por pasar mi lata a otros compañeros durante la clase de gimnasia, y la otra cuando el profesor de lengua descubrió que llevaba mi casino portátil porque olvidé cerrar la bolsa donde lo guardaba.

Cuando entré en el despacho del director comprobé que el profesor de lengua me estaba esperando. Yo le odiaba desde hacía casi dos años y estaba claro que él me tenía manía, o al menos eso pensaba yo.

—Te has metido en un buen lío —anunció con aire de satisfacción—. Lo sabemos todo acerca de tus partidas de ruleta y demás. En este momento el director está llamando a la policia. Irás a la cárcel, a un reformatorio o adonde sea, pero nunca volverás a este instituto.

—Claro, claro —respondí.

Ya había oído aquellas mismas palabras antes y sabía que no era más que un farol. Supuse que me expulsarían durante una semana, pero no me importaba.

Entonces entró el director; se veía claramente que estaba furioso. En pocas palabras me dijo que recogiera todas mis cosas y me marchara, que mi expulsión no era temporal, sino definitiva.

—He llamado a tu madre; nos reuniremos para hablar de tu caso, pero no volverás a este instituto, ya hemos tenido bastante...

El director siguió hablando y, en medio de su sermón, me di la vuelta y salí del despacho. Ni siquiera me preocupé por recoger las cosas de mi pupitre; me fui directamente a casa y me tumbé en el sofá. Me desperté hacia las tres de la tarde, sobrio y enfadado. Recordé la cara de satisfacción de mi profesor cuando me anticipó las malas noticias. Pensé que tenía que vengarme de él.

Cogí el coche de mi madre, sin tener permiso de conducir, y me dirigí hacia el instituto para ver si podía suavizar mi castigo. Tuve «suerte»: cuando entré en el aparcamiento vi que el profesor bajaba por la escalera de la puerta principal.

De repente sucedió algo dentro de mí. Apreté a fondo el acelerador y me dirigí hacia el profesor con la intención de atropellarle, y lo hice. La parte delantera del coche le golpeó por detrás, el profesor salió disparado y cayó sobre unos coches que estaban aparcados a unos treinta metros de distancia. Volví rápidamente a casa donde, invadido por una extraña sensación de miedo y triunfo, me emborraché.

La policía no tardó mucho en llegar, puesto que no me había esforzado lo más mínimo por ocultar lo que había hecho. Antes de darme cuenta de lo que estaba pasando, me encontré esposado y de camino a la cárcel. Jamás había estado en ningún sitio parecido y fue aterrador. Prefiero no entrar en detalles.

Al profesor no le pasó nada grave, por lo que todavía doy gracias a Dios, pero aún así se me acusó de intento de asesinato. A pesar de que después redujeron los cargos contra mí, supe que mi vida había terminado. Me enfrentaba a la cárcel, no a un albergue juvenil. Ni siquiera mi abogado pensaba que pudieran concederme la libertad condicional. Tampoco pude salir bajo fianza; el juez fijó una suma elevada porque todos temían que volviera a atacar al profesor. Tal vez lo habría hecho, no lo sé. Así que, como la fianza era demasiado elevada para que mi madre pudiera pagarla, tuve que permanecer en la cárcel leyendo y viendo la televisión con el resto de los internos. Me aburría mucho, pero después de construir unos dados cortando una pastilla de jabón, la vida en la cárcel fue un poco más divertida. Cuando llegó el momento de ir a juicio, había acumulado más pagarés de los que jamás se habían visto en aquella cárcel.

Antes de ir a juicio, mi abogado me explicó que había llegado a un acuerdo con el juez y que, si me declaraba culpable, seguramente podría sacarme de la cárcel, siempre que me alistara voluntariamente en el ejército. Aquello fue una gran sorpresa para mí. La idea de ingresar en el ejército no me gustaba nada, pero todavía me gustaba menos tener que volver a la cárcel, así que acepté.

Los tres años siguientes fueron una verdadera pesadilla. Incluso ahora me resulta muy duro recordarlos. En el ejército intenté reformar un poco mi vida y dejé de beber durante un tiempo. Sin embargo, todo el mundo jugaba, y empecé a organizar partidas de dados y de cartas que se alargaban durante toda la noche. Siempre se me había dado bien la cocina, pero el ejército, con su infinita sabiduría, me destinó al parque móvil, donde era de una utilidad nula.

Poco tiempo después de incorporarme al ejército, mi unidad fue destinada a Vietnam, y aprendí lo que era el infierno en la Tierra.

Estuve en Vietnam dieciocho meses, y lo que vi allí me convenció de que existe un diablo y un infierno. Yo lo vi todos los días que estuve en aquella guerra. Durante varios años después de haber vuelto, me despertaba gritando en plena noche, incluso después de que el ángel de Dios me ayudara a cambiar mi vida. Llegó un momento en que no sabía cuándo terminaban las pesadillas nocturnas y cuándo empezaba la realidad diaria. Estuve en el frente durante catorce de los dieciocho meses que pasé en Vietnam y vi todo lo que había por ver, todas las enfermedades y heridas posibles y muerte. A veces digo a la gente que creo que perdí mi alma en Vietnam y no la recuperé hasta que un ángel de Dios la encontró medio destrozada en el campo de batalla y volvió a unirla con lo que quedaba de mí.

Todavía no sé cómo pude sobrevivir a aquella guerra sin morir o resultar gravemente herido. Pasados los primeros meses, me emborrachaba tanto y tan a menudo como podía. Y también tomé drogas. Nunca había tomado drogas hasta entonces, al menos drogas duras. En mi pequeña ciudad no había posibilidad de conseguirlas. Pero allí era diferente. Necesitaba evadirme como fuera y tomaba todo lo que me ofrecían (marihuana, hachís, cocaína, heroína) o lo que podía ganar jugando. En más de una ocasión en que mi compañía estaba en plena batalla, yo sólo fui capaz de tumbarme en el suelo y dormir mientras a mi alrededor estallaban todo tipo de proyectiles; estaba totalmente drogado.

Cuando abandoné el ejército me había convertido en un drogadicto.

Cuando me licencié (todavía no entiendo cómo conseguí que no me expulsaran del ejército) volví a casa, donde vivía a expensas de mi madre, jugaba cuando estaba lo suficientemente sobrio como para sostener las cartas sin temblar y me pasaba el resto del día durmiendo. Visitaba la cárcel local de forma más o menos regular acusado de intoxicación en público y otros cargos menores, y en una ocasión también cumplí condena por conducir ebrio. Mi madre lo intentó todo para ayudarme a dejar la bebida, pero yo no quería escuchar a nadie. En una ocasión dije cosas tan terribles al cura de nuestra parroquia que mi madre tuvo que acudir a otra iglesia durante algún tiempo.

Sentía un dolor tan intenso dentro de mí que no me importaba nada. Me sentía vacío. No tenía ningún objetivo en la vida, ni energía, ni mente. Era como si no tuviera alma. Me veía a mí mismo como un trozo de chatarra, como un coche en un desguace que ya no sirve para nada excepto para ser destrozado.

Sé que el largo relato de mis problemas puede parecer aburrido, pero es necesario para comprender lo que me pasó cuando un ángel entró en mi vida.

En 1975 murió una prima de mi madre. Vivía en una ciudad lejana, pero mi madre creyó que debía asistir al funeral y, a falta de nada mejor que hacer, yo también fui con ella. Pensé que siempre podría ver la televisión en el hotel o tal vez encontrar un nuevo bar.

No estoy seguro de cómo mi madre me convenció para que la acompañara al funeral. Tal vez mi ángel ya tuvo algo que ver con ello. No entré en la iglesia; paseé un poco por el vestíbulo y me senté en los escalones exteriores, pero recuerdo que los cantos que provenían del interior transmitían una paz tan intensa que me sentí culpable. Intentaba con todas mis fuerzas deshacerme de los sentimientos de culpabilidad y rabia que me impulsaban a beber y drogarme constantemente.

Cuando mi madre salió de la iglesia nos unimos a la procesión hacia el cementerio. Hacía mucho calor y había una intensa humedad en el ambiente. A primera hora del día había llovido y la tierra todavía estaba húmeda. Vi que habían construido un dosel junto a una tumba abierta.

De repente me asaltó el pensamiento de que no podía acercarme más. Estaba aterrorizado. En cualquier otro momento habría bebido un trago o esnifado una raya de cocaína pero, ante las súplicas de mi madre, no había traído nada conmigo. Pensé que tal vez estaba empezando a sufrir los efectos del síndrome de abstinencia.

—¡Tengo que irme, mamá! —le dije mientras miraba a mi alrededor buscando un lugar donde poder comprar algo de bebida—. Volveré enseguida, pero ahora tengo que irme.

Los ojos de mi madre reflejaron miedo y preocupación. Pronto me di cuenta de que me encontraba en una situación muy grave. Todo mi cuerpo se estremecía de dolor. Era el síndrome de abstinencia. Tenía mucho miedo, pero no sabía qué hacer. Cuando llegué a un lugar donde nadie podía verme, caí de rodillas al suelo y vomité. Me encontraba realmente mal.

Después me senté un rato con la espalda apoyada contra una lápida de granito. Llevaba la chaqueta manchada de barro y suciedad, pero no me importaba. Me di la vuelta, miré la lápida y vi horrorizado que mi nombre estaba escrito en ella. Bueno, no era mi nombre, pero sí que era el mismo que el mío. Después supe que era un primo de mi padre al que nunca conocí.

Fue un momento terrible, como una profecía, como si Dios me dijera que estaba condenado a morir. Estaba tan deprimido y me encontraba tan mal que pensé que lo mejor era alejarme cuanto antes de allí. Aunque todo mi cuerpo temblaba como una hoja, conseguí ponerme de pie. Creo que mi intención era llegar hasta el coche para tumbarme un rato.

Entonces vi al ángel que salvó mi vida y mi alma del infierno.

Empecé a caminar mirando al suelo, porque estaba lleno de baches, al contrario que en otros cementerios donde todo está muy bien cuidado, y no quería tropezar. De repente sentí que tenía que mirar hacia arriba. Cuando lo hice, vi a un ángel que estaba sobre un trozo de terreno más elevado que el resto del suelo, a una distancia de unos diez pasos. Me estaba mirando fijamente.

Tal como lo vi yo, era un ángel muy alto, debía medir casi dos metros y medio. Era mucho más alto que yo, incluso sin tener en cuenta el montículo de tierra. Era muy brillante, pero no vi ningún tipo de luz a su alrededor. El resplandor provenía de su interior. Hablo de «él» porque me dio la impresión de que era un ser masculino, pero no estoy seguro de si lo era o no. Tenía el pelo castaño y rizado y lo llevaba corto. A pesar de la distancia, sus oscuros ojos parecían atravesarme con la mirada. No vi alas, pero la deslumbrante túnica blanca que llevaba era muy holgada y ondeaba al viento, por lo que pude comprender por qué la gente siempre representa a los ángeles con alas.

Aquella aparición me dejó totalmente desconcertado, y recuerdo que parpadeé varias veces y desvié la mirada hacia otra dirección para asegurarme de que no veía visiones. Pero cuando volví a mirar el ángel seguía allí, mirándome fijamente.

Debo admitir que mi primera reacción me impulsó a salir corriendo. En Vietnam había visto muchas cosas terribles, y siempre había intentado escapar de ellas a través de las drogas y el alcohol. Pero aquella vez no podía escapar. Era como si mis pies estuvieran clavados en el suelo.

No sé cuánto tiempo permanecí contemplando aquella visión, pero finalmente pareció como si recobrara el conocimiento. Fue como si mi mente despertara.   A menudo he pensado que tal vez el ángel me hizo estar sobrio de forma repentina para que pudiera recibir su mensaje con la mente clara.

El ángel se dio la vuelta y empezó a andar. Sin pensarlo, intenté seguirle y descubrí que mis pies volvían a funcionar con normalidad. Caminé detrás de él fascinado y aterrorizado. Sé que en aquel momento no pensaba en lo que significaba aquella aparición. Sólo sabía que tenía que seguirle.

El ángel empezó a caminar más deprisa y, como era tan alto y avanzaba a grandes pasos, tuve que correr para no perderle hasta que empecé a jadear por el esfuerzo. Llegó hasta un rincón del cementerio muy lejos de los monumentos y del funeral al que asistía mi madre, y entonces se detuvo y se volvió hacia mí.

En toda mi vida he visto tanta ira en el rostro de nadie. Era como si el ángel entero fuera una gigantesca cólera. Sus ojos eran como dos pozos negros y sus apretados labios expresaban furia. No sentí odio ni ningún sentimiento violento dirigido personalmente hacia mí, pero la ira era indiscutible.

«¿Qué quieres?», pregunté interiormente antes de que todo mi cuerpo empezara a temblar.

Pero el ángel no respondió. Siguió sin moverse y mirándome fijamente, mientras unas olas de ira emanaban de él y se depositaban sobre mí.

«¿Qué quieres?», volví a preguntar, deseando poder escapar de aquella aparición.

Sin decir una palabra, el ángel señaló el suelo con un gesto solemne y miró brevemente hacia el lugar que señalaba. Yo también miré, y lo que vi me hizo perder todas la fuerzas y caí al suelo.

Había estado a punto de caer en una tumba abierta. Al parecer, el personal del cementerio estaba preparando otro funeral. No había visto el hoyo porque el sol me deslumbraba. Y, a pesar de que el ángel no me dijo nada, supe lo quería decir: si no cambiaba mi vida, moriría.

Empecé a sollozar invadido por el miedo. Lloré como jamás lo había hecho. Sentía como si mi cuerpo y mi mente se desgarraran entre convulsiones y no podía parar de llorar. Caí hacia un lado y me arrastré por el barro.

Al cabo de un rato noté una mano sobre mi hombro y, asustado, abrí los ojos pensando que el ángel se había inclinado para tocarme. Pero era mi madre, que me miraba muy preocupada.

—¿Qué pasa, John? —me preguntó—. ¿Te encuentras bien?

¿Cómo podía explicarle lo que acababa de pasarme? ¿Cómo podía decir a mi madre que acababa de ver a un ángel de dos metros y medio de alto que parecía que quería cerrarme los ojos para siempre? Pero tenía que decírselo, y entre lágrimas y sollozos le conté con bastante histerismo lo que había pasado. La expresión de preocupación de su rostro se agravó todavía más y comprendí que no me creía. Después me confesó que temió que estuviera delirando o alucinando por culpa de las drogas.

Me llevó a casa mientras yo estaba sumido en un estado de shock. No podía dejar de pensar en los ojos y la ira del ángel. Aunque nunca había pensado mucho en Dios, sabía que el ángel me estaba diciendo que Dios estaba muy enfadado por la forma en que estaba malgastando mi vida y que aquella era mi última oportunidad para cambiar. El mero hecho de pensar en todo aquello me aterrorizaba.

Cuando llegamos a casa ya había oscurecido, y una parte de mí estaba deseando llegar a mi habitación para encender un porro y emborracharme. Pero cuando cogí la botella que estaba junto a mi cama, no fui ca-paz de beber. Vi los ojos de aquel ángel y el terror me paralizó. Me tumbé en la cama temblando de miedo y, finalmente, me dormí.

Cuando a la mañana siguiente me desperté, tenía mucho calor y estaba empapado de sudor. Me quité la ropa que llevaba desde el día anterior y me metí bajo la ducha, sintiendo cómo el agua fría recorría todo mi cuerpo. Cuando salí de la ducha y me vestí con ropa limpia, me di cuenta de que me sentía mucho mejor. Los recuerdos del día anterior ya no me provocaban tanto miedo; era capaz de pensar en los ojos del ángel sin que se me revolvieran las entrañas. Me cepillé los dientes, pero el vodka del vaso que había en el baño tenía un sabor horrible. Había olvidado que estaba allí. Me enjuagué la boca con agua mientras me preguntaba qué había pasado. ¡Me había lavado los dientes con vodka durante tanto tiempo que había olvidado que podía hacerse de otro modo!

De repente me encontré a mí mismo de rodillas junto a la cama y rezando como no lo había hecho desde que era niño. Le dije a Dios que no comprendía lo que había pasado pero que, por primera vez en muchos años, quería llevar una vida correcta.

—Siento mucho haber destrozado mi vida. Ayúdame, Dios, a no caer nunca más en las drogas ni la bebida —rogué.

Y me sentí mejor, porque una de las cosas que había comprendido gracias a la aparición del ángel era que debía arrepentirme de los errores de mi vida además de dejar de cometerlos.

Al cabo de un rato bajé al piso inferior. Mi madre se había ido a trabajar y me preparé algo de desayuno. Me gustaría poder explicar la extraña sensación que tenía al hacer cosas normales como freír unos huevos o fregar los platos. No había hecho nada de todo esto desde hacía años. Incluso levantarme a una hora razonable y vestirme con ropa limpia era una nueva experiencia. Pasé el día haciendo las tareas de la casa y arrancando malas hierbas del jardín. No quería ir a mi habitación, donde guardaba la droga y la bebida. No quería enfrentarme a todo aquello.

Cuando mi madre volvió a casa, yo ya había preparado la cena, poca cosa, porque me faltaba práctica. Me miró extrañada, como si notara que había cambiado algo pero no quisiera creerlo. Después de cenar, nos sentamos en el comedor y charlamos un buen rato. Fue una de las experiencias más agradables que había tenido en muchos años. El tiempo pasó rápidamente y se hicieron las doce de la noche.

—Voy a dormir aquí —le dije a mi madre—. No quiero ir arriba, tengo miedo.

—Podríamos subir juntos y, bueno, intentar superarlo —me propuso tímidamente.

Supe que eso era precisamente lo que necesitaba y, extrañamente, me pareció que era lo mejor que podíamos hacer.

—Vamos —dije, levantándome del sillón.

Pero cuando llegamos a mi habitación, todavía me sentía incapaz de entrar.

—Entra tú, mamá —le pedí.

Y mientras yo permanecía fuera y le indicaba dónde lo escondía todo, mi madre recogió todo el alcohol y las drogas que tenía y lo tiró en el inodoro.

—Ayer por la mañana habría sido incapaz de creer nada de esto —me dijo, y ambos rompimos a llorar.

Cuando ya no quedaban drogas ni alcohol, entré en mi habitación y me di cuenta de la mala vida que había llevado hasta entonces. Quería coger todo lo que había en la habitación y tirarlo o quemarlo. Quería empezar una vida nueva en todos los sentidos, y así se lo dije a mi madre.

—No dejes para mañana lo que puedas hacer hoy —respondió ella.

Y empezó a deshacer la cama y a descolgar las cortinas. Yo me puse a vaciar los cajones y llené una bolsa de plástico grande de botellas vacías. Mientras limpiábamos la habitación encontramos más alcohol y más drogas, que también tiramos en el inodoro. Cuando terminamos ya eran casi las tres de la madrugada; tomamos una taza de café y nos fuimos a dormir. Mentalmente vi los ojos del ángel, y esta vez no parecía tan enfadado.

—Mamá, ¿crees realmente que he cambiado? —le pregunté una docena de veces al día siguiente—. ¿No tendría que seguir algún tratamiento de desintoxicación?

Y eso es lo que debería haber hecho enseguida, porque después de tanto tiempo siendo adicto al alcohol y las drogas, dejar de tomar todas aquellas sustancias de forma tan repentina podría haberme matado. Pero en lugar de eso, cada minuto que pasaba me sentía más libre, como si el mensaje del ángel no hubiera sido «Cambia o morirás», sino «Si quieres cambiar y curarte, Dios te ayudará; sólo tienes que pedírselo.»

Durante la primera semana después de la aparición del ángel, pasé mucho tiempo en casa y no me acerqué al bar que solía frecuentar. Llamé a mis compañeros de juego con los que solía jugar al póquer y les dije que estaba enfermo.

Me sentía lleno de energía. En cuatro días limpié la casa entera, reorganicé los armarios, arreglé las goteras, reparé las contraventanas y las pinté de nuevo. Yo mismo estaba sorprendido por mi comportamiento; era como si finalmente me sintiera vivo de verdad. Incluso parecía que los terribles recuerdos de Vietnam que había intentado olvidar bebiendo empezaban a curarse. Fue como volver a nacer.

Un viernes por la noche, después de cenar, decidí hablar con mi madre de un tema en el que había estado pensando mucho.

—Mamá, creo que quiero ir al hospital para seguir algún tratamiento. Tienen varios programas de rehabilitación para personas que quieren dejar las drogas. Necesito ayuda para reorganizar mi vida.

—Nunca pensé que te oiría decir esto —me dijo sonriendo—. Supongo que lo que viste era realmente un ángel. ¿Qué otra cosa podría haberte hecho cambiar tan rápidamente?

Me acompañó al hospital en coche (a mí me habían retirado el permiso hacía algún tiempo) y les expliqué mi problema con las drogas. Estaba impaciente por iniciar un tratamiento y, sorprendentemente, me resultó muy fácil conseguirlo. Necesitaba ayuda, no tanto para superar mi adicción (de algún modo, el ángel se había encargado de eso), sino para aprender a vivir de nuevo. Seguí el tratamiento sin problemas y volví a casa. En el hospital nunca hablé con nadie de lo que me había pasado. Era una experiencia demasiado personal y, además, no creo que nadie hubiera creído que un drogadicto borracho como yo había visto a un verdadero ángel.

Esto sucedió hace casi veinte años. Mientras estaba en el hospital, aprendí algo de fontanería y me gustó. Con el tiempo pude volver a conducir, y actualmente trabajo por cuenta propia, estoy felizmente casado y tengo un hijo. En todos estos años no he bebido ni una gota de alcohol, no he probado ninguna droga y no me he gastado ni una moneda en apuestas de ningún tipo, y nunca he sentido la necesidad de hacerlo. Sé que si alguna vez lo hiciera, vería los ojos de aquel ángel que me transmitió el mensaje de que necesitaba salvar mi vida. Me he convertido en un devoto cristiano e intento corresponder al amor que Dios me demostró al enviar a su ángel para curarme, no sólo de mis adicciones, sino también de las heridas espirituales que me habían conducido a ellas.

¿Fueron los ángeles quienes intervinieron en mi vida? Sin lugar a dudas. Y no sólo intervinieron, sino que la cambiaron radicalmente. Aquel ángel me curó de un estilo de vida que me habría matado, curó la visión que tenía de la vida y me dio la oportunidad de volver a empezar. Cuando estaba tan hundido que ni siquiera sabía cómo podía recuperarme, Dios envió a su ángel con la curación en sus alas, como dice la Biblia.

De momento no tengo la intención de cambiar este mundo por el cielo, pero quiero decir que cuando esto suceda, espero tener la oportunidad de dar las gracias a mi ángel frente al trono de Dios. Se lo merece, realmente se lo merece.

8

SANAR NUESTRAS RELACIONES
CON LOS DEMÁS

Como dice san Pablo, estamos rodeados por una gran «nube de testigos» que ven el uso que hacemos de nuestras vidas aquí en la Tierra. Algunos de estos testigos están en este planeta, otros son los que ya no están en este planeta, y otros son los que jamás han estado aquí: los ángeles. Cada uno de nosotros tiene al menos un ángel de la guarda, que se nos asigna en el momento en que somos concebidos, y tal vez también tiene otros.

Sé que no tengo ninguna autoridad para afirmar esto, pero creo que los ángeles de la guarda son nuestros ayudantes celestiales «oficiales», es decir, que ningún otro ángel puede ofrecernos su ayuda sin que nuestros ángeles de la guarda lo sepan. También creo que a menudo los ángeles de la guarda llaman a otros ángeles «especialistas» para que les ayuden a realizar su trabajo en nuestras vidas. Por este motivo, siempre he preferido dedicar todos mis esfuerzos a mejorar la relación que mantengo con mi ángel de la guarda en lugar de intentar relacionarme con muchos ángeles a la vez. En ocasiones puedo sentir la presencia de ángeles «especialistas» a los que Enniss ha pedido ayuda, como Tallithia, que parece velar y favorecer mi creatividad y capacidad de comunicación a la hora de escribir y hablar, y Kennisha, que me defiende del enemigo (es decir, de los ángeles caídos, que no están nada contentos de que los humanos conozcamos cada día mejor sus mentiras y engaños). Pero no creo que los ángeles trabajen por cuenta propia, sino que se les asigna una misión.

Creo firmemente que, igual que a algunos ángeles se les encomienda la misión de velar por cada uno de nosotros, también hay ángeles que velan por nuestra relación con los demás, ángeles que unen a las personas mediante vínculos de cariño y amor. Los ángeles de la guarda, que son nuestros principales guías espirituales, les piden que intervengan en nuestras vidas. Estos ángeles establecen y refuerzan muchas relaciones, y su influencia se observa sobre todo en los matrimonios.

Muchas parejas que conozco —algunos están casados y otros sólo son buenos amigos—, mantienen una relación muy especial. Cuentan historias de cómo, estando separados por muchos kilómetros, uno supo lo que le estaba pasando al otro, o también que cuando uno de ellos descolgó el teléfono para llamar al otro, se encontraron con que éste ya estaba al otro lado de la línea. Ellos dicen que son «almas gemelas», y realmente son «aquellos que Dios ha unido» y que Dios mantiene unidos, con la ayuda de los ángeles.

En el capítulo 4 he relatado la historia de dos amigos míos cuya relación pasó por un momento difícil, pero ambos se estaban esforzando por solucionar sus problemas con la ayuda del «ángel de su matrimonio», como ellos le llamaban. En un principio pensé en incluir su historia en este capítulo, pero como yo también participaba en ella, creí que era mejor incluirla en el capítulo dedicado al perdón para mostrar el proceso más habitual de curación a través de los ángeles.

¿Cómo trabajan estos ángeles especializados en velar por nuestras relaciones con los demás? Yo creo que aprovechan cualquier situación que se presenta para intentar unir a las personas que necesitan curar su relación, como hicieron en el caso de Michael Thayer.

El ángel vestido de mecánico. Michael Thayer

La historia de Mike es poco común porque el ángel no sólo le ayudó a superar una situación difícil, sino que también le ayudó a reconciliarse con su hermano Clifford después de varios años de no dirigirse la palabra. Normalmente, los ángeles no intervienen de forma tan directa en nuestras vidas, pero es bueno saber que, si forma parte del plan divino, pueden hacerlo. En el número de agosto de 1993 de la revista AngelWatch se publicó una versión reducida de esta historia. En aquella ocasión me pareció más interesante destacar la parte del rescate en lugar de la posterior curación de una relación.

Los coches antiguos siempre han sido la gran pasión de mi vida. Incluso ahora que ya estoy jubilado sigo trabajando en ellos, y mi hermano y yo asistimos a todos los rallyes que podemos. A lo largo de mi vida he ganado varios premios, pero el premio más importante corresponde a mi ángel de la guarda, porque un día, mientras yo estaba trabajando en uno de mis coches, me salvó la vida. Y, lo que para mí es igualmente importante, me ayudó a sanar mi relación con mi medio hermano Clifford, relación que se había enfriado tanto que no nos hablamos durante casi una década. Nos enfadamos por culpa de un coche. Ahora puede parecer una tontería, pero aquel incidente hizo que nos odiáramos durante muchos años.

Ocurrió lo siguiente: mi hermano era un apasionado de los coches antiguos igual que yo. De jóvenes, juntos habíamos restaurado coches y los vendíamos. Yo aproveché los beneficios para invertirlos en más coches; Cliff ahorró para poder estudiar. Yo entré en el negocio de las ventas y Cliff se hizo religioso, pero nunca perdió su afición por los coches. Recuerdo que en uno de sus sermones comparaba las piezas de un coche con la vida de una persona. Decía que un conducto de combustible atascado era como el mal de nuestras vidas, porque entonces Dios no podía atravesarlo y poner en marcha nuestro motor.

En el verano de 1972, Cliff me llamó para decirme que un conocido suyo le había dicho que tal vez podría conseguir un Duesenberg y que si yo estaría interesado en comprarlo. Para mí, un Duesenberg era como el Santo Grial. Quedan muy pocos, y el precio de un Duesy auténtico restaurado es una suma astronómica.

Le dije que sí, a pesar de que significaría una inversión de diez mil dólares sólo para empezar (las piezas de un Duesenberg son muy caras). Cliff me aseguró que su fuente era de toda confianza y, aunque él no tenía dinero para poder invertirlo, me animó a que yo lo hiciera.

Me encontré con el hombre que aseguraba tener un Duesy, y me llevó a un granero donde vi el coche y conocí a dos restauradores más que también pensaban en la posibilidad de invertir dinero para comprarlo. Los tres dimos cheques al vendedor... y nunca volvimos a verle ni a él ni al coche. Resultó ser un estafador. El coche era auténtico, pero no era suyo. Los diez mil dólares eran todos mis ahorros y se habían esfumado.

Llamé a Cliff, furioso porque no me había avisado del peligro. Él admitió que no había comprobado nada acerca de aquel hombre porque «parecía tan formal...». Me dijo que lo sentía, pero aquellas palabras de disculpa no me bastaban. ¡Había perdido todos mis ahorros! Tuvimos una fuerte discusión y, a partir de entonces, sólo intercambiamos unas pocas palabras en varios años; sólo hablábamos en reuniones de familia donde no podíamos evitarnos. Es difícil de imaginar: dos hermanos que vivían a dos manzanas de distancia en el mismo pueblo y que nunca se dirigían la palabra.

En 1980 ya había conseguido reorganizar mi vida, a pesar de que la pérdida de mis ahorros (y, para ser sincero, el hecho de que me hubieran estafado) todavía me dolía. En aquella época estaba enamorado de un T-bird. Era una auténtica belleza, una maravilla. Era de color azul turquesa y parecía como si estuviera recién pintado. El acero todavía se conservaba reluciente. No tenía ni un solo rasguño.

El único problema era que se negaba a funcionar.

Lo compré a un amigo, que a su vez lo consiguió a

través del amigo de alguien que conoció en un certamen de coches antiguos en el estado de Nueva York. Estaba decido a hacerlo funcionar.

Como un fanático, cuando llegaba a casa después del trabajo (era jefe de departamento de una cadena de ámbito nacional), lo primero que hacía era ponerme mi mono de mecánico e irme hacia un garaje que había construido especialmente para poder trabajar en mis coches. Estaba muy orgulloso de él, era casi como un taller de verdad. Evidentemente, no tenía ningún ele-vador hidráulico, pero me las arreglaba bastante bien. Tenía un televisor, una nevera e incluso un pequeño bar. Se podría decir que vivía en aquel garaje.

Una tarde, mientras estaba trabajando en Robin (había bautizado al coche con este nombre), creí haber encontrado el problema. Tendría que desmontar todo el motor para saberlo con certeza, lo cual significaba tener que trabajar bajo el coche.

Entonces recordé que había prestado las rampas que utilizaba para levantarlo, o sea que no podría trabajar debajo de él. Pero tampoco quería aplazarlo, porque estaba convencido de que había descubierto dónde estaba el problema.

Cogí un juego de gatos y busqué algo que pudiera servir para apuntalar las ruedas. Lo primero que encontré fue un par de pesados bidones de plástico. Los coloqué bajo las ruedas traseras de forma que los neumáticos se apoyaran sobre la base de los dos bidones. Todo parecía perfecto. Cogí la linterna y las herramientas y me deslicé bajo el coche.

Acababa de quitar los tornillos que sostenían el silenciador y el tubo de escape y estaba desmontándolos cuando me di cuenta de que el coche se estaba moviendo. Y antes de que pudiera salir de debajo, la rueda trasera de la izquierda aplastó el bidón sobre el que se apoyaba. Acto seguido ocurrió lo mismo con la rueda derecha. No había tenido en cuenta que la base de los bidones era demasiado débil para soportar el peso del automóvil.

El coche cayó amenazadoramente sobre mi pecho y mi abdomen; la presión no era tan fuerte como para romper ningún hueso, pero sí para que resultara difícil respirar. Casi no podía tomar aire, la presión sobre el abdomen era demasiado fuerte. Estaba en una situación muy difícil y era consciente de ello. Me sentí como si una serpiente pitón intentara quitarme hasta el último soplo de vida. Pensé que me había roto la espalda.

Grité pidiendo ayuda, pero nadie respondió. El garaje quedaba lejos de las casas de ambos lados y, por la parte de atrás estaba separado de las otras viviendas por una hilera de árboles. Era imposible que nadie me oyera; además, al cabo de poco rato ya no tenía fuerzas para gritar. No sé cuánto tiempo permanecí debajo del coche, que lentamente me iba aplastando. De repente oí una voz.

—Aguanta, ya vengo. No tengas miedo.

Recuerdo que primero di gracias a Dios y después pensé que sólo habían sido imaginaciones mías. Estaba sufriendo mucho. Pero volví a oír las mismas palabras. Pensé que era Bud, el vecino que vivía en la casa de al lado, un agradable jubilado que solía acercarse al garaje para saludarme y compartir una cerveza conmigo.

Entonces vi dos pies y unas piernas enfundadas en

184

un mono de mecánico. Sentí que la presión disminuía y pude extender el brazo hacia fuera. Noté que dos manos me tiraban de los pies y me ayudaban a salir de debajo del coche.

Durante algunos minutos no fui capaz de decir ni pensar en nada. Me tumbé en el suelo jadeando y esperando que el intenso dolor que sentía en el pecho disminuyera un poco. Cuando me hube recuperado algo, abrí los ojos para agradecer a Bud que me hubiera salvado la vida.

Pero no había nadie.

Entonces me di cuenta de que nadie podía haber entrado en el garaje sin que yo le abriera la puerta, porque se cerraba de forma automática. Miré a mi alrededor y vi los gatos apoyados contra la pared, exactamente donde yo los había dejado después de levantar las ruedas para apoyarlas sobre los bidones.

Entonces miré el coche. ¡No estaba apoyado sobre nada! Los bidones rotos todavía estaban debajo de los neumáticos. El espacio que quedaba entre los bajos del automóvil y el suelo era de unos pocos centímetros.

¿Cómo había podido escapar de allí? ¿Quién había levantado el coche para que pudiera salir? ¿Y por qué no se había quedado para que le diera las gracias?

Permanecí tumbado en el suelo, confuso y atormentado por el dolor. ¿Lo había imaginado todo? ¿Había conseguido salir sin la ayuda de nadie? Miré el mono que llevaba y vi que estaba rasgado, sucio y manchado de aceite. No había duda, me había quedado atrapado debajo del coche.

Intenté levantarme pero no pude; el pecho me dolía demasiado. Empecé a preocuparme. Tenía las piernas entumecidas, aunque podía moverlas un poco. Estaba muy asustado, temía que me hubiera roto la espalda o algo peor.

Podía mover perfectamente los brazos, y me arrastré como pude hacia el teléfono. En un rincón del garaje había colocado un viejo sofá, y el teléfono estaba en una mesa al lado del sofá. Tenía todos los números de mis amigos del mundo del automóvil programados en las memorias del teléfono. Lo único que conseguí hacer fue tirar del auricular hacia mí. Supongo que tendría que haber llamado a la policía inmediatamente, pero no recordaba el número. Tengo una memoria horrible para fechas, números de teléfono y cosas así. Sólo recordaba un número, y ni siquiera sabía de quién era. Supuse que sería el de mi hermana. Sólo lo recordaba porque todos los dígitos eran iguales.

Marqué el número, rezando para que alguien cogiera el teléfono. Y respondieron. Era Clifford. De entre todas las personas del mundo, tenía que ser él. Fue a ver a nuestra hermana por casualidad; de hecho, ella ni siquiera estaba en casa. Clifford había entrado con su propia llave y estaba mirando la televisión cuando yo llamé.

Estaba demasiado asustado y atormentado por el dolor para que me importara de quién era la voz que respondió a mi llamada.

—Clifford... Mike... ayuda... el coche... —no pude decir gran cosa más aparte de eso.

Clifford intentó preguntarme algo, evidentemente estaba preocupado, pero no fui capaz de responderle.

—Ayúdame... —fue lo único que pude decir.

—Vengo enseguida —me dijo, y colgó.

Suspiré aliviado. Ahora que había conseguido hablar con alguien me sentía mucho más tranquilo. Recuerdó que repasé mentalmente lo ocurrido, preguntándome una y otra vez quién había levantado el coche.

Al cabo de unos quince minutos oí el ruido de un coche que aparcaba delante de mi casa y el sonido de una puerta que se abría y se cerraba rápidamente. Supuse que era Clifford. Pero cuando vi que no venía empecé a asustarme. No se me ocurrió que primero miraría en casa. Finalmente oí los pasos de alguien que corría por el camino de grava y después unos golpes en la puerta del garaje.

—¡Mike! ¿Estás ahí?

Le llamé y acto seguido oí un ruido de cristales rotos. Tuvo que romper el cristal de una pequeña ventana que había al lado de la puerta para poder abrirla por dentro.

Clifford se arrodilló junto a mí y, entre jadeos, intenté explicarle lo que había ocurrido, pero no llegué a contarle cómo había salido de debajo del coche. Vi que miraba el coche extrañado, pues sólo estaba a unos centímetros del suelo, pero no dijo nada. Me ayudó a incorporarme y me apoyé sobre mi costado.

—Voy a llamar a una ambulancia —dijo Cliff.

—No, me parece que estoy bien.

Y el dolor empezó a disminuir de forma gradual. Con la ayuda de Clifford (y también la de Dios, porque mi hermano rezaba en voz alta constantemente), conseguí ponerme de rodillas y levantarme. Sin dejar de apoyarme en Clifford en ningún momento, llegamos hasta su coche. Arrancó bruscamente y nos dirigimos al hospital más cercano, que estaba a unos treinta kilómetros de distancia.

No hablamos mucho, pero estaba tan agradecido a Clifford por haber acudido en mi ayuda, que olvidé que estábamos enfadados. Él no me preguntó nada, y no le conté cómo había conseguido salir de debajo del coche hasta que estaba esperando para entrar en la sala de rayos X.

—Vas a pensar que estoy loco, Cliff, pero aquel hombre apareció de la nada, entró en el garaje estando la puerta cerrada, levantó el coche y me rescató. Y des-pués desapareció.

—No estás loco, Mickey —me dijo sonriendo—, porque no era un hombre: era tu ángel de la guarda. Dios le envió para ayudarte.

La respuesta de Clifford me sorprendió mucho aun-que, siendo cura, supuse que era normal que me dijera aquello. No tuve mucho tiempo para pensar en ello porque enseguida me llevaron a la sala de rayos X.

Los resultados del examen médico fueron bastante buenos. No tenía ningún hueso roto ni hemorragias internas. Los médicos me dijeron que sólo tenía los riñones un poco afectados y algunos pequeños desga-rros en la zona del tórax, que era lo que provocaba el dolor (un dolor tan intenso que yo creí que estaba sufriendo un ataque al corazón). Pasé la noche en el hospital.

Clifford estuvo a mi lado en todo momento. Cuando me hablaba de su iglesia, de su trabajo y de la gente que había conocido, cada vez me resultaba más difícil se-guir guardándole rencor por aquel malentendido que me costó mis ahorros. Con los años había creado la

imagen de un hermano que me había engañado deliberadamente, que era mi rival secreto, y que incluso se
había puesto de acuerdo con aquel estafador para hacerme caer en la trampa. En aquel momento me di
cuenta de que todo lo que pensaba había sido producto
de mi imaginación. No era real, era una pesadilla.
Clifford era simplemente Clifford, y me di cuenta de
que le quería.

Supongo que lo que me ayudó a curar mi rencor
fue tener que permanecer en la cama de un hospital
sin poder ir a ninguna parte, sin poder hacer nada
excepto escuchar a mi hermano.

—Cliff, lo siento... —le dije finalmente, aprovechando una pausa de su relato.

—No pasa nada —me dijo dándome palmaditas en
el hombro—. Ya hablaremos mañana, cuando salgas
de aquí. Lo solucionaremos.

Cliff se portó realmente bien. A la mañana siguiente, a pesar de ser domingo, vino a buscarme. Había
llamado a un sustituto para que realizara sus servicios.

—Vas a venir a mi casa —me anunció categórica-
mente.

—Pero es que tengo que arreglar la ventana del
garaje... —empecé a decir.

—Albert (el marido de nuestra hermana) la arregló
ayer por la noche y todo está bien cerrado.

Pasé dos días con Clifford, dos días maravillosos.
Todas las suposiciones que había inventado desaparecieron una por una, y toda mi rabia y mi rencor se
desvanecieron lentamente. Y Cliff dijo que también le
sucedió lo mismo. Reconoció que había creado la imagen de un hermano que nunca había intentado superar

los prejuicios que le impedían ver la verdad. Algún tiempo después, me dijo que hasta entonces no se había dado cuenta de que tener una relación insatisfactoria con su hermano representaba un gran estorbo en su trabajo.

Me gustaría poder describir la paz que me rodeaba durante el tiempo que pasé en el hospital y los dos días que compartí con Clifford. Estoy convencido de que fueron ángeles sanadores quienes crearon aquella atmósfera de amor y perdón. Clifford y yo no paramos de hablar, y cada vez que uno estaba a punto de enfadarse por algo, nos dábamos cuenta de lo que sucedía y nos poníamos a reír. Toda nuestra ira y nuestro resentimiento desaparecieron. Ni siquiera tuvimos que esforzarnos por encontrar una motivación; no fue necesario. Aunque no sabíamos utilizar las palabras habituales como «¿me perdonas?», nos perdonamos mutuamente de todo corazón. Cuando Clifford me acompañó de vuelta a casa ya habíamos empezado a recordar viejas historias, y a partir de aquel momento tendríamos algunas más por compartir.

Aparcamos el coche y entramos en el garaje. Cuando vi a Robin, todavía encima de los bidones, recordé que Clifford me había dicho que fue un ángel. En aquel momento sólo me pareció un comentario divertido, pero ahora creo que tenía razón: fue mi ángel de la guarda.

Estoy muy agradecido al ángel por haberme salvado la vida, pero creo que el milagro más importante fue que Clifford y yo nos reconciliáramos. Sinceramente, creo que el ángel lo organizó todo; el accidente no, por supuesto, pero sí el hecho de que Clifford visitara a mi hermana sin motivo aparente y decidiera quedarse en su casa a pesar de que ella no estuviera. También estoy convencido de que el ángel creó un ambiente de paz durante los días que pasamos juntos para que pudiéramos eliminar todo nuestro rencor y fuéramos capaces de curar nuestra relación. Es como si nuestros ángeles de la guarda se hubieran puesto de acuerdo para convertir el accidente en algo positivo: la reconciliación.

Ahora mi hermano y yo somos más amigos que nunca, y nuestra reconciliación ha tenido consecuencias muy positivas para toda nuestra familia, porque ahora nos reunimos más a menudo para celebrar cumpleaños, santos, etc. Cliff no tiene mucho tiempo libre, pero cuando puede, trabajamos juntos en mis coches y asistimos a ferias de automóviles antiguos. Ahora estoy en paz conmigo mismo, porque mis heridas espirituales ya se han curado. Y Cliff dice lo mismo.

Tengo la esperanza de que algún día podré dar las gracias a aquel ser celestial vestido de mecánico que me rescató y permitió que Cliff y yo nos reconciliáramos.

9

SANAR NUESTRO PLANETA

Y Dios dijo a Rafael: «Sana la Tierra, y pro-
clama la sanación de la Tierra».

1 Enoc

Vivimos en el mundo más maravilloso que conocemos:
la Tierra. Desde el ártico hasta el antártico, desde los
climas templados hasta las selvas tropicales y los de-
siertos, este mundo es maravilloso, un oasis rebosante
de vida, microscópica y macroscópica, planeado con
amor por la Fuente de todo el amor, protegido por
innumerables ángeles que han presenciado la forma-
ción, el crecimiento y la división de cada célula.

Cada región de la Tierra también tiene a sus protectores humanos, que la quieren y la cuidan como lo
hacen los ángeles. Los aborígenes australianos, que
recorrieron las llanuras de su país durante miles de
años, aman la tierra que para otros es inhóspita y
desoladora y adoran al agua y las criaturas escondidas
que les proporcionan la vida. Los sicilianos que culti-
van las fértiles laderas del Etna son locos a los ojos de

aquellos que tienen miedo de un volcán que todavía permanece activo, sin embargo los antiguos habitantes de la región decían que el Etna era «los senos del mundo» y lo amaban por el rico suelo que hacía prosperar sus cosechas. Si les preguntáramos por qué no se trasladan a otra región, nos responderían extrañados: «Esta tierra es nuestra madre, ¿cómo podríamos abandonarla?»

El Valle de la Muerte, el Círculo Polar Artico, las llanuras inundadas de Bangladesh, los montes del Himalaya... No importa hacia adónde miremos, en todas partes hallaremos vida. Los científicos han descubierto que en el corazón de los glaciares habitan microscópicas formas de vida. Las profundidades de los océanos, que antes se consideraban yermas a causa del frío y la falta de luz y oxígeno, en realidad acogen a formas de vida muy complejas.

Toda la vida que nos rodea, incluyéndonos a nosotros, ha evolucionado para adaptarse perfectamente a su entorno. El equilibrio de la naturaleza es uno de los mayores fenómenos del universo. Cada planta y cada animal cumple su función, dando y recibiendo vida y colaborando en el mantenimiento de una cadena de sucesos tan compleja que nos maravilla. Existen flores que tienen el aspecto de un insecto con el fin de atraer a verdaderos insectos que lleven su polen a otras flores. Existen setas que esperan días hasta que la brisa apropiada propulsa sus esporas con la fuerza de un cañón. Existen mamíferos que regulan su reproducción en función del clima, la temperatura y el alimento que pueden conseguir. Se podría hablar eternamente de las maravillas del planeta Tierra.

Pero nuestro planeta es tan frágil como bello y, debido en gran parte al egoísmo y la despreocupación de los humanos, la Tierra necesita urgentemente ser curada, al igual que todas las criaturas que habitan en ella, incluidos nosotros.

Necesitamos curar a nuestro mundo, a la tierra que nos acoge y nos proporciona la vida. Nuestro cuerpo proviene de la tierra, y cuando nuestra alma se libere del traje espacial, el cuerpo volverá a la tierra. Durante este breve intervalo de tiempo, respiramos, comemos, bebemos y caminamos gracias a la Tierra y a los recursos que nos proporciona. Estamos hechos para vivir únicamente en este planeta. Por el momento no conocemos ningún otro mundo que pueda acoger nuestros cuerpos físicos sin gran esfuerzo y un traje protector. Para sobrevivir en Marte, cuya temperatura en pleno verano, en el ecuador y al mediodía es semejante a la de muchas regiones de la Tierra, tendríamos que llevar con nosotros oxígeno y alimentos.

Pero teniendo en cuenta lo que la especie humana le ha estado haciendo a la Tierra durante muchos años, tal vez pronto será tan inhóspita para nosotros como Marte o Venus. Me parece que no es necesario recordar lo que los efectos de la contaminación, los residuos tóxicos, el consumo exacerbado y la destrucción del medio ambiente significan para el futuro de nuestra especie y el precioso planeta en el que vivimos.

Creo firmemente que uno de los motivos del increíble aumento de visitas de ángeles es para concienciarnos sobre temas ambientales. Después de todo, los ángeles son los guardianes de este planeta, los jardineros, los arquitectos al servicio de Dios. Existen ángeles que velan por las plantas y los animales de este planeta tan seguro como que existen ángeles que velan por los seres humanos. Montañas, ríos, lagos, volcanes, nubes, lluvia... : todo lo que existe o sucede en la Tierra está controlado por ángeles.

Durante miles de años, muchas religiones y filosofías han creído que Dios trabaja a través de los ángeles para favorecer a nuestro planeta. En la época medieval, los judíos lo creían con tanta fuerza que crearon miles de nombres destinados a los ángeles que velaban por el planeta. Así encontramos a Baradiel, el ángel del granizo, porque en hebreo la palabra *barad* significa granizo. Los sufis, que siguen el camino del misticismo dentro del islam, creen que un ángel desciende a la Tierra con cada gota de lluvia para que caiga en el lugar que le corresponde. También afirman que para crear una sola hoja de árbol se necesitan siete ángeles.

Yo no veo ningún motivo para que no pueda ser cierto. Naturalmente, creo en la ley de la gravedad y las leyes científicas que explican el movimiento del mundo, la lluvia y la creación de la vida. Pero, ¿por qué no puede también ser cierto que los ángeles vigilen estos procesos físicos y químicos al igual que un investigador vigila la reacción de su crisol aunque ya sepa cuál será?

A menudo suelo ir a un pequeño lago que está cerca de mi casa, en la reserva de Watchung, una hermosa zona donde espesos bosques de hoja caduca cubren varios kilómetros de pequeñas colinas y valles en miniatura. Pero el lago está desapareciendo porque desde hace algunos años cada vez hay más plantas y hierbas, gracias a los sedimentos provocados por la construcción de una autopista. En verano, el lago sólo alcanza unos pocos centímetros de profundidad. Me gusta recoger todas la hierbas y plantas aromáticas que crecen en el lago, pero ésa no es la cuestión. El lago se está muriendo.

Para empeorar todavía más las cosas, toda la zona forestal se ve amenazada porque el exceso de población de ciervos ha destruido una generación entera de nuevos planzones. Hay un exceso de población de ciervos porque el crecimiento de las ciudades eliminó a sus depredadores naturales. De hecho, escribo este párrafo porque no hace mucho vi a una pareja de gamos persiguiéndose por mi jardín, y mi casa sólo está a un paso de una de las autopistas más importantes de Nueva Jersey. Ni siquiera la reserva de Watchung basta para satisfacer las necesidades de los ciervos, que ahora pastan en mi jardín y se comen mis flores. Me he visto obligada a instalar una valla para no quedarme sin flores. Muchos ciervos morirán de hambre, y durante la temporada de caza se puede cazar incluso dentro de la reserva. Se ha perdido todo el equilibrio natural.

Un día estaba meditando junto al lago, rezaba por la crisis que afecta a la zona donde yo vivo y que se repite en tantas otras regiones del mundo, y de repente vi a los ángeles del lago y de los árboles que se movían en silencio por el bosque. No seguían ningún tipo de orden, sino que cada uno se movía según su voluntad. Era una escena fantástica. Noté el amor y la devoción que aquellos ángeles sentían por la reserva, y me sorprendió que fueran tantos. Había miles y miles de ángeles jardineros trabajando para proporcionar a los animales y a las plantas el espacio necesario para respirar hasta que los humanos fueran capaces de restablecer el equilibrio natural.

Pero mientras contemplaba la escena, todo cambió: los ángeles dejaron de vagar y empezaron a caminar hacia direcciones muy concretas. Y me di cuenta de que sus ropas ya no eran de colores ni parecían tan anchas y ligeras; al contrario, parecían bastante pesadas y ceñidas. Y, lo que resultaba más sorprendente, todos llevaban armadura y casco, como las antiguas estatuas del arcángel san Miguel.

Reflexioné sobre aquella extraña transformación y le pedí a Dios que me iluminara. Al cabo de poco rato, oí la voz de Enniss.

—Estos ángeles son los que cuidan este lugar —me dijo.

Le pregunté por qué se mostraban tan serios, casi tristes.

—No les gusta tener que ser soldados, pero el egoísmo y la despreocupación de los humanos les han obligado a acudir a las armas para defender el planeta.

—¿Y por qué no curan la reserva directamente? —pregunté.

—Porque no nos corresponde hacerlo a nosotros, sino a vosotros. Trabajamos para preservar su espíritu, pero sin vuestra ayuda no podemos hacer mucho.

Entonces comprendí lo que Enniss quería decir. Si queremos sanar nuestras vidas y nuestro mundo debemos trabajar en equipo, ángeles y humanos. Los ángeles no pueden hacerlo solos, porque no es su mundo. Nosotros tampoco podemos hacerlo solos, porque nos falta la sabiduría necesaria (y si la destrucción del medio ambiente sigue a este ritmo, pronto ni siquiera seremos capaces de hacerlo).

Los ángeles de Dios aman a este mundo con una pasión tan pura que, si fuéramos conscientes de ello, nos haría llorar. Se preocupan mucho por este planeta, porque lo han visto crecer y formarse de las partículas que una vez rodearon el Sol. Y cuando ven lo que le hemos hecho a la Tierra, la tristeza les invade y rompen a llorar.

—¡Basta! —suplican—. ¡Basta! ¡Dejad de desperdiciar la comida, el aire, los recursos naturales, vuestros hijos, vuestras vidas! Éste es vuestro mundo. Fuisteis creados para domesticarlo y cuidarlo, no para abusar de él y sacarle todo lo que podáis y luego tirar los restos. ¿Adónde iréis cuando los hayáis explotado por completo? ¿Qué comeréis cuando los residuos tóxicos contaminen vuestros alimentos? ¿Qué respiraréis cuando el monóxido de carbono envenene el aire? ¿Dónde viviréis cuando todo el mundo sea un inmenso vertedero de basura? ¡Detened la locura que os conduce a vuestra propia destrucción antes de que sea demasiado tarde!

Los ángeles nos advierten que conseguir que la Tierra sea un lugar mejor para vivir es responsabilidad de todos nosotros. Y no se refieren a esfuerzos cosméticos. (Está muy bien recoger la basura del suelo, pero esta basura tiene que ir a alguna parte.) Los ángeles quieren que sepamos que debemos adoptar una actitud de compromiso, la que nos parezca mejor, para cambiar las costumbres de nuestra sociedad que perjudican al medio ambiente. No podemos mantener una actitud pasiva durante más tiempo. Simplemente, ya no hay tiempo. Si no cooperamos activamente con los ángeles y empezamos a sanar nuestro planeta ahora mismo, será demasiado tarde. No podemos aplazar esta mi-sión tan urgente y dejarla en herencia a futuras generaciones.

La Tierra ha perdido su equilibrio natural, y nuestras vidas también están en peligro. Con esto no quiero decir que los vertederos de basura tengan la culpa de todo, pero la destrucción gratuita del planeta comporta una serie de consecuencias que afectan a todo lo demás.

Permitidme que os cuente el caso de una mujer casada que, a principios de este siglo, trabajaba en una fábrica. Era una empresa pequeña ubicada en un pueblo en expansión. Fabricaban relojes. Todas las mañanas, aquella mujer cogía las esferas de los relojes y pintaba los números con pintura fluorescente para que brillaran en la oscuridad. Ella no sabía que la pintura contenía radio, un elemento radiactivo. Durante más de un año, pasó diez horas al día realizando este trabajo, manchándose de pintura radiactiva, respirando agentes tóxicos, comiendo en la misma silla en la que pintaba los relojes, afinando las cerdas del pincel con su propia saliva.

Al final de la jornada, la empresa recogía todos los desperdicios de los laboratorios donde se extraía el radio, así como la pintura sobrante que se había secado, y lo tiraba todo en medio del campo. Era mucho más fácil y más barato que llamar a un camión para que lo transportara a un vertedero controlado. Y los habitantes de la zona que necesitaban tierra para su jardín la tomaban de aquel campo.

Metros y metros de terreno alrededor del edificio estaban contaminados por el radio que se utilizaba en la fábrica. La gente se llevaba esta tierra a sus casas, la utilizaba para cultivar verduras que después comía y sus hijos jugaban con ella.

Pronto enfermaron muchas de las mujeres que trabajaban en la fábrica de relojes. Perdieron peso y energía, se hacían pequeñas heridas con facilidad y empezaron a sentir dolores por todo el cuerpo.

Tenían leucemia, provocada por el contacto constante con materiales radiactivos, y muchas murieron a causa de esta enfermedad.

La fábrica cesó su actividad, pero ya era demasiado tarde para ayudar a las empleadas y a sus familias. No se hizo nada con respecto a la enorme cantidad de terreno contaminado hasta muchos años después, cuando finalmente unos operarios enfundados en sofisticados trajes de protección recogieron toda la tierra y la colocaron dentro de barriles. Dijeron a muchas de las familias que vivían cerca de la fábrica que debían mudarse porque aquella zona estaba contaminada. El gobierno, demasiado lento por culpa de la burocracia, tardó años en llevarse toda la tierra. Estaba tan contaminada que no la aceptarían en ninguna parte. Ningún pueblo ni ciudad permitiría que camiones cargados con tierra contaminada circularan por sus calles.

Finalmente se la llevaron toda. Las casas más contaminadas fueron derribadas. La mayoría de los propietarios accedieron porque sabían que ya no podrían venderlas. Los solares donde los niños solían jugar fueron vallados para siempre. La gente se trasladó a otras zonas que los expertos calificaron de «seguras».

Y actualmente, en esta pequeña región del planeta contaminada por culpa de la despreocupación y el egoísmo de los humanos, los niños llegan al mundo con graves defectos de nacimiento y el porcentaje de abortos es mucho más elevado que la media. Después de tres generaciones, los porcentajes de algunos tipos de cáncer también son más elevados que la media, y afectan incluso a descendientes de habitantes de la zona aunque ya no vivan allí.

Lo sé muy bien porque yo soy una de ellos. Todo esto ocurrió en Nueva Jersey, el estado donde vivo. La mujer que pintaba relojes era mi abuela materna, y el niño que jugaba en los solares contaminados se convirtió en mi padre, que vivía cerca de la fábrica y de la casa de mi madre. Su padre y dos de sus hermanos murieron cuando él todavía era un niño. El hermano que sobrevivió era estéril, y mis padres tardaron once años en poder tener a su única hija: yo. Mi padre y su hermano murieron de cáncer. Cuando ellos murieron, mi madre y su hermana también padecían la misma enfermedad. Su hermana sobrevivió; yo también. En el capítulo 1 ya he descrito mi combate personal contra el cáncer.

Y todo esto sucedió en una minúscula región del planeta, en un pequeño pueblo de Nueva Jersey, por culpa del egoísmo y el miedo de aquellos que se desentendieron de los efectos de la contaminación de la tierra y permitieron que otros padecieran las consecuencias.

Sólo ocurrió en un pequeño pueblo, pero el mal se extendió ampliamente. Miles de personas fueron expuestas a radiaciones nocivas. El suelo de todo un pueblo se contaminó sin posibilidad de salvación. Tres generaciones de personas han resultado negativamente afectadas. En algún lugar de Estados Unidos, un vertedero de residuos tóxicos almacena miles de barriles de material contaminado.

Y éste no es un caso aislado. Todos los días vemos historias parecidas en la televisión y en los periódicos. Recuerdo que cuando vivía en Phoenix solía pasar cerca de un solar lleno de columpios oxidados que se movían ligeramente empujados por la fuerza del viento. Una valla de tres metros de altura rodeaba todo el solar, y había varios carteles que decían: «Zona contaminada. ¡Peligro!». ¿Durante cuánto tiempo habían jugado niños en aquel lugar?

Pensemos en Chernobyl. Multipliquemos la experiencia de mi familia por millones. Los efectos del desastre nuclear de Chernobyl en Ucrania se han notado en casi todo el mundo. Cientos de personas murieron de forma inmediata y cientos de miles de personas más vivirán menos años por culpa de ello. Mil kilómetros cuadrados de terreno productivo están contaminados y ya no podrán recuperarse jamás. Niños de países tan alejados como Suecia o Polonia experimentaron los efectos del desastre. La leche y la carne de los ani-males que pastaban en terrenos contaminados también está contaminada, destruyendo así la forma de vida de miles de personas más. En Moscú se vende un elevado número de contadores Geiger. Gran parte de Rusia está contaminada por plutonio, estroncio y otros productos procedentes de experimentos que se realizaron durante los años cincuenta y que no funcionaron. Casi de la noche a la mañana, más de cincuenta poblaciones desaparecieron del mapa. Los rusos nunca hablarán de este desastre.

Pero las peores amenazas no tienen nada que ver con los horrores de los residuos nucleares. Las selvas tropicales se destruyen inconscientemente y de forma gradual para conseguir pastos para el ganado, madera o simplemente terrenos. ¿Por qué debemos preocuparnos por algo que ocurre a miles de kilómetros de distancia? Porque las selvas tropicales y nosotros estamos unidos por un vínculo invisible, y destruir las selvas perjudica el equilibrio natural del planeta. Si destruimos las selvas, destruimos el hábitat de innumerables especies animales y vegetales.

Muchas personas piensan que los ángeles viven en una sociedad tan perfecta que, de algún modo, no son conscientes de su felicidad. Puedo asegurar que no es así. Es cierto que los ángeles viven totalmente en armonía con el plan de Dios y no tienen nuestros problemas de insensibilidad y egoísmo, pero cuando ven la situación del mundo, especialmente aquellos que trabajan directamente en favor de la Tierra o de las criaturas que vivimos en ella, se entristecen mucho.

Cerca de mi casa, en Mountainside, Nueva Jersey, existe el Centro de Educación Ambiental del Condado de Somerset, ubicado junto al Gran Pantano. Es un inmenso refugio de vida salvaje en Nueva Jersey, una de las últimas zonas de estas características que quedan en el noroeste de Estados Unidos. Cerca también hay otro centro donde rehabilitan aves de rapiña, muchas de las cuales están en peligro de extinción en la zona. El centro organiza constantemente actividades para niños y adultos.

En ningún otro lugar he sentido la presencia de tantos ángeles como allí: ángeles del agua, de las plantas, de los animales y de las rocas que hablan con los visitantes, sobre todo con los niños. Una noche los vi junto a un estanque donde varias ranas estaban poniendo huevos, y los ángeles bailaban jubilosamente. La paz era física; el gozo, increíble. Sentí el urgente deseo de los ángeles de comunicar a las nuevas generaciones la necesidad de preservar nuestro mundo y detener la destrucción que se está llevando a cabo.

La fundación AngelWatch, que creé en 1991 para registrar los actos de los ángeles en nuestro mundo, es una organización comprometida con la preservación del planeta. Utilizamos papel reciclado y tinta elaborada a base de extractos vegetales para confeccionar la revista bimensual *AngelWatch*, y colaboramos activamente en proyectos de protección del medio ambiente.

Quisiera hacer una llamada a los seres humanos de este mundo para que todos nos unamos a la causa de los ángeles: sanar la Tierra. Reciclad y reutilizad todo lo que podáis. Si no lo necesitáis, rechazadlo.

Haced lo que creáis que debéis hacer, pero hacedlo, por favor. Los ángeles están llorando.

10

GRUPOS DE SANACIÓN ANGELICAL: AYUDARNOS MUTUAMENTE PARA ALCANZAR LA SANACIÓN

> *Rafael había dicho a Tobías antes de llegar a casa de su padre: «Sus ojos se abrirán. Unta sus ojos con la hiel del pez; al escocerle, se frotará y desaparecerán las manchas blancas. Tu padre recobrará la vista y verá la luz».*
>
> Tobías 11, 7-8

Nosotros, los seres humanos, a pesar de que a menudo seamos débiles, poseemos unos poderes y una fuerza sanadora en nuestro interior que son parte de los recursos ocultos que Dios puso dentro de nuestros cuerpos mortales cuando nos creó. ¿Cuántas veces hemos oído a personas que dicen: «No sabía la fuerza que tenía» o «No pensé que sería capaz»? Yo creo que, en algún momento de nuestras vidas, esto nos ocurre a todos.

Algunas personas tienen increíbles habilidades naturales y otros dones que, en tiempos pasados, habrían sido motivo de que se les considerara brujos o herejes.

A lo largo de la historia, las habilidades psíquicas, como por ejemplo ver el aura de las personas, han asustado mucho a la gente. Se creía que los individuos que tenían estos dones estaban poseídos por el diablo. Pero, de hecho, estas manifestaciones de iluminación son regalos que Dios nos ofrece para demostrar su amor por todos nosotros, siempre que hagamos un buen uso de ellos.

El hecho es que tan sólo hemos empezado a descubrir y explotar las increíbles habilidades de la especie humana, dones y poderes que Dios nos concedió al crearnos. Todos estos dones deben servirnos para comprender mejor quiénes somos y de dónde venimos y para buscar al Dios que nos los concedió.

También son regalos de cada uno de nosotros para todos los demás. Después de todo, formamos una gran familia humana y dependemos de la ayuda de los demás para avanzar por los senderos de la vida. Parafraseando lo que John Donne dijo hace unos cuatrocientos años, nadie es una isla; cada persona es un trozo de continente, una parte del elemento principal.

Algunas personas tienen el don natural de saber cuándo alguien está sufriendo emocionalmente. Otras son capaces de sentir qué tipo de problema tiene una persona simplemente tocándola. Otras pueden ver a través de una relación personal y descubrir dónde está el problema. Creo que ni siquiera los individuos más iluminados conocen todo el potencial de la especie humana.

La descripción del cuerpo de Cristo que san Pablo hace en la Primera Epístola a los Corintios es el paradigma de nuestra sociedad en general. En el capítulo 12, versículos 14, 17 y 24, san Pablo dice lo siguiente: «Porque el cuerpo no es un miembro, sino muchos. [...] Si todo el cuerpo fuese un ojo, ¿dónde estaría el oído? Si todo oído, ¿dónde estaría el olfato? Pero Dios ha dispuesto cada uno de los miembros del cuerpo como ha querido. [...] Así, si un miembro sufre, con él sufren todos los miembros; si un miembro recibe una atención especial, todos los miembros se alegran».

Esto puede aplicarse tanto a nuestra vida cotidiana como a nuestra búsqueda de la plenitud. A pesar de que muchos de los recursos que necesitamos para curarnos estén en nosotros mismos, también necesitamos comunicarnos con los demás y compartir con ellos los dones que Dios les ha concedido. Los ángeles pueden actuar y actúan como intermediarios cuando buscamos ayuda para alcanzar la sanación.

Tenemos una notable capacidad de curarnos a nosotros mismos y de ayudar a los demás a curarse. Cada día aprendemos más sobre el modo de explotar nuestros propios recursos para curarnos. Actualmente podemos encontrar muchos libros, como por ejemplo los que tratan el tema de la risa, que demuestran que los humanos disponemos de una gran cantidad de recursos internos que nos ayudan a curarnos y que no aprovechamos. Todos, en diferentes grados, poseemos cualidades internas que nos conducen a la sanación.

También es cierto que nuestro cuerpo puede desprender varios tipos de energía y que podemos utilizarla para curar a los demás. En la Primera Epístola a los Corintios 12, 9, san Pablo habla del don de curar a los enfermos como un don concedido por el Espíritu.

Pero en esencia, la sanación, ya sea de cuerpo,

mente, espíritu o relaciones, proviene de Dios. De hecho, todo proviene de Dios, porque Dios es la Fuente de todo lo que somos y lo que tenemos. Dios es pleno y de Él fluye toda la plenitud, ya sea directamente o a través de intermediarios, como otro ser humano o un ángel. Cuando nuestro cuerpo se cura gracias al tratamiento que nos receta un médico se lo agradecemos, pero también deberíamos bendecir a Dios por el don de curar que tiene el médico.

La sanación es un trabajo de equipo que nos incluye a nosotros, nuestros ángeles, otras personas y sus ángeles y Dios; nos reúne a todos y es el fuego divino que enciende nuestras velas, humanas y angelicales. Dios puede curarnos directamente, y tenemos derecho a pedir que lo haga. Pero por mi experiencia, Dios nos cura a través de otros seres, porque somos una gran familia humana y necesitamos darnos cuenta de que no podemos vivir y morir aislados. Y al decir «otros seres» no sólo me refiero a otros seres humanos, sino también a los ángeles.

Por este motivo participo en lo que yo llamo grupos de sanación espiritual, que nos ayudan, junto con nuestros ángeles y por la gracia de Dios, a sanar nuestras vidas. Estos grupos se basan en la creencia de que Dios nos ama y quiere que alcancemos la plenitud corporal y espiritual.

Como soy cristiana, los grupos que dirijo se centran en la sanación a través de Jesús, que para mí es la encarnación de Dios. Al ser católica, no tengo ningún problema para dirigir mis oraciones directamente a los ángeles (siendo consciente de la diferencia obvia entre Dios y un ser creado). Si consideras que alguna parte del proceso que describiré a continuación está en desacuerdo con tu religión o filosofía, tendrás que utilizar tu creatividad y cambiarla.

Formar un grupo de sanación angelical

¿Qué es un grupo de sanación?

Un grupo de sanación es una ceremonia litúrgica en la que los participantes, junto con los ángeles, alabamos a Dios y buscamos la sanadora luz de Dios para curar nuestras vidas. Utilizo la palabra «litúrgica» para referirme a una reunión en la que los participantes pronuncian unas palabras, realizan unos gestos y siguen un ritual juntos. La palabra *liturgia* proviene de un término griego que significa «el trabajo de las personas».

¿Cuál es el objetivo de un grupo de sanación?

El objetivo de un grupo de sanación angelical es reunir a personas con el fin de rezar a Dios para alcanzar la sanación en nuestras vidas y pedir a los ángeles que nos ayuden a permanecer abiertos y receptivos a la sanación que Dios quiere para cada uno de nosotros. Este proceso no tiene nada que ver con la magia. De hecho, es muy similar a otro tipo de reuniones, que se celebran en casas particulares con el objetivo de rezar en común, características de varias religiones. Creo que la diferencia principal reside en que, en un grupo de sanación, deseamos que nuestros ángeles de la guarda y otros ángeles sanadores formen parte de la reunión y participen como transmisores de la sanación que Dios nos envía. Pero es preciso que todas las plegarias, no sólo las de adoración y alabanzas, sino también las de petición de curación, se dirijan a Dios, que es la fuente de toda sanación.

¿Deben formarse grupos de sanación de modo regular?

Un grupo de sanación puede formarse para celebrar una sola reunión o para reunirse de forma regular. Cuando participo en talleres, a veces acabamos la sesión formando un grupo de sanación, y normalmente todo el mundo pone mucha energía en ello, incluso aunque nunca hayan participado en una reunión parecida. Sin embargo, creo que los grupos más eficaces son aquellos que se reúnen de forma regular, porque los participantes se conocen entre ellos y se sienten más cómodos dentro del grupo.

¿Cuántas personas pueden participar?

Un grupo de sanación debería estar formado por cuatro personas como mínimo, pero no por más de diez. Es muy difícil constituir un grupo con menos de cuatro personas, y cuando el grupo está formado por más de diez personas también resulta difícil conceder a cada uno el tiempo que necesita para expresarse y rezar con ellos. Si hay más de doce personas interesadas en participar, normalmente dividimos el grupo en dos cuando las plegarias iniciales ya han terminado y volvemos a reunirnos para finalizar la sesión.

¿Dónde debe reunirse un grupo de sanación?

Cualquier espacio libre de distracciones será adecuado. Si se realiza al aire libre, es posible que los participantes se distraigan por culpa de la presencia de moscas o el ruido del tráfico. Si se lleva a cabo en el interior de una casa, es preferible que los participantes no tengan que contestar al teléfono, abrir la puerta cuando llamen o estar pendientes de niños.

¿Cuál es el mejor momento del día para formar un grupo de sanación?

Cualquier momento del día es apropiado, si todos los participantes están de acuerdo, pero la experiencia será diferente en función del momento elegido. Las reuniones que se celebran al amanecer suelen ser de carácter contemplativo, pero con mucha actividad mental por parte de los participantes. Las reuniones que se celebran por la mañana o por la tarde suelen tener un carácter más práctico y más animado, pero es más difícil que los participantes se concentren plenamente. Al anochecer, las personas muestran una actitud más silenciosa, más emocional y menos reflexiva. Una reunión que se celebre tarde por la noche puede ser muy intensa, pero es necesario que la persona que la dirija sea capaz de distinguir a los diferentes espíritus que existen, porque cuando los participantes están cansados, a los espíritus que no desean que nos curemos les resulta más fácil interponerse en nuestro camino.

¿Quién debe participar en un grupo de sanación?

La sanación está al alcance de todo aquel que necesita curarse, es decir, todos nosotros. Pero no todas las personas se sienten cómodas en un grupo de sanación, porque la dinámica de las reuniones puede ser muy intensa. Los integrantes de un grupo tienen que ser conscientes de que hay algo en su vida que necesita ser sanado, tienen que ser capaces de decirlo en voz alta y pedir a Dios que solucione ese problema, y también deben aceptar las plegarias de los demás y la imposición de manos como sistemas para facilitar la sanación. En resumen, deben estar dispuestos a abrir su corazón y admitir su necesidad de sanación.

Algunas personas acuden a un grupo de sanación esperando que sus ángeles les curen de forma instantánea, tanto si tienen problemas con una relación como si están resfriadas, y cuando no ocurre así, se sienten defraudadas. Recuerdo el caso de una mujer que padecía sinusitis. La habían visitado varios médicos y todos le aseguraron que no tenía ningún trastorno orgánico. Una amiga la invitó a un taller sobre ángeles que organicé y que concluimos con un grupo de sanación. Cuando llegó su turno, nos pidió que rezáramos con los ángeles para que Dios curara su sinutis. Y así lo hicimos, pero otro de los participantes hizo una propuesta diferente.

—Creo que deberíamos rezar para ser capaces de perdonar y no sólo para curarnos físicamente —dijo.

Aquella mujer necesitaba comprender y perdonar los motivos que provocaban su enfermedad. Después de rezar no experimentó ninguna mejora, como era de esperar, pues había dicho que no comprendía lo que significaba aquello, ya que no había nada en su vida que tuviera que perdonar. Sin embargo, la persona que había hablado de perdón sintió que Dios le había enviado sanación a través de los ángeles. Percibió mentalmente que el ángel de aquella mujer se acercaba a ella y le entregaba un prisma, lo cual le pareció un símbolo de mayor comprensión. Pero la mujer se sentía incómoda y, al finalizar la sesión, me expresó sus dudas acerca de lo ocurrido. Le pedí que tuviera paciencia y le recordé que muy pocas sanaciones se producen de forma instantánea y que normalmente requieren tolerancia y comprensión.

No volví a verla nunca más pero, al cabo de dos meses, encontré a la amiga que la había invitado a la reunión y me contó una historia muy interesante. Dos días después de participar en el grupo de sanación, aquella mujer se dirigía al supermecado cuando, de repente, pensó en un medio hermano que la maltrataba brutalmente cuando era niña; en una ocasión incluso llegó a romperle la nariz. Intentó no pensar en él, pero no podía sacárselo de la cabeza ni dejar de recordar los abusos que había sufrido. Nunca se lo había contado a nadie; lo guardó en su interior y la amargura del recuerdo creció con los años.

Estaba en el aparcamiento del supermercado y la cabeza le dolía muchísimo por culpa de la sinusitis, cuando no pudo soportarlo más y estalló. Rompió a llorar dentro del coche, reviviendo los recuerdos de la infancia, y pensó en lo que se había dicho en el grupo de sanación sobre el perdón. De repente oyó la voz de un ángel.

—Tranquila, estás a salvo. No tengas miedo.

Entonces se dio cuenta de que el mayor responsable de su dolor durante todos aquellos años no había sido la sinusitis, sino la ira y el rencor provocados por los malos tratos de su hermano y por haber mentido a su madre diciéndole que se había caído por la escalera porque tenía miedo de contarle la verdad.

Permaneció dentro del coche durante una hora, mientras notaba la iluminación y la sabiduría que Dios le transmitía, y comprendió lo que realmente necesitaba curar. Rezó a Dios para que le concediera aquella sanación e inició el proceso de perdonar. Al finalizar este proceso, el intenso dolor de cabeza provocado por la sinusitis se había convertido en una molestia de poca importancia.

Tardó algún tiempo en curarse por completo. Después de todo, sus heridas espirituales habían crecido sin control alguno durante muchos años. Pero al final la sanación espiritual le proporcionó la curación física, que era el síntoma de la enfermedad y no la causa.

¿Quién debe dirigir un grupo de sanación?

El Espíritu de Dios es el auténtico «director» de todos los grupos de sanación, si elevamos nuestras plegarias con toda sinceridad. Pero también es importante que en el grupo haya alguien que sea muy consciente de que Dios dirige los grupos de sanación, no los humanos ni los ángeles. Esta persona debe tener una gran sensibilidad con respecto a los integrantes del grupo y al Espíritu que lo guía. Es importante que sea capaz de distinguir dónde reside la verdadera necesidad de sanación, porque en ocasiones es una labor difícil. Por encima de todo, esta persona debe ser humilde, porque tiene la misma necesidad de sanación que el resto de los integrantes del grupo.

¿Qué se necesita para celebrar una reunión?

Necesitaréis colocar sillas de manera que formen un círculo, lo suficientemente juntas para que los participantes puedan cogerse de las manos pero separadas para que todos puedan sentir que disponen de un espacio propio. A ser posible, colocad el círculo de sillas en una habitación que no sea la misma donde estaréis antes o después de la reunión. La idea es crear la sensación de lo que se llama espacio sagrado. Intentad utilizar sillas que sean iguales. Sentarse en el suelo también es una buena opción, siempre que todo el mundo se sienta absolutamente cómodo haciéndolo de este modo. Podéis situar las sillas alrededor de una mesa redonda, o también podéis colocar una mesa pequeña en el centro del círculo. Si lo deseáis, podéis cubrir la mesa con un mantel y poner flores. Pero, por favor, no utilicéis ningún tipo de icono (estatuillas de ángeles, etc.) Las velas (párrafo siguiente) deben ser el punto focal.

Necesitaréis un cirio alto y grueso que situaréis en el centro de la mesa. Puede ser de cualquier color. Mis favoritos son los de color azul. Algunas personas prefieren que tenga los colores del arco iris para recordar que Dios, cuya Luz está representada por el cirio, abarca todos los colores. La persona que dirija la reunión debe encender el cirio antes de que lleguen los demás, y permanecerá encendido durante toda la reunión. (Si celebráis la reunión al aire libre, proteged la llama con una campana de cristal para que el viento no la apague.)

También necesitaréis un cirio un poco más pequeño que el anterior, que representa la necesidad de curación de los participantes y que, por el momento, no encenderéis. Cada persona debe tener una vela blanca pequeña, que se colocará encima de la mesa hasta que todos estéis preparados para inciar la sesión. Podéis atravesar un círculo de papel con cada una de estas velas para evitar manchas de cera.

También necesitaréis un tercer cirio, preferiblemente que tenga forma de ángel. Si no podéis conseguir uno, utilizad otro tipo de vela que represente a un ángel.

Os recomiendo que pongáis música ambiental. Por mi experiencia, considero que es mejor utilizar una grabación que música en directo. Hace muchos años fui cantante folk y guitarrista profesional, y al principio intentaba tocar música de fondo con mi guitarra durante las reuniones. Pero no podía concentrarme en las dos cosas a la vez, de modo que ahora utilizo una cinta o un disco compacto. Si utilizáis pilas, aseguraos de que estén en buen estado.

Podéis utilizar cualquier tipo de música suave, ya sea instrumental o cantada. En el ámbito de la música clásica, me gustan mucho los compositores impresionistas franceses, como Debussy, Fauré o Ravel, y tengo predilección especial por el canto gregoriano, porque es el tipo de música que canto siempre que empiezo a meditar. (Sin embargo, puesto que el latín y las técnicas de respiración que acompañan al canto gregoriano son bastante difíciles de aprender, utilizad una grabación en lugar de intentar cantar vosotros mismos. Os recomiendo que los intérpretes sean monjes y monjas en lugar de coros profesionales, que no son tan auténticos.)

Iniciar la reunión

Siempre intento no empezar una reunión hasta que haya llegado todo el mundo, sobre todo si el grupo se ha formado recientemente. Cuando hayan llegado todos, el guía debe pedirles que tomen asiento. En este momento alguien debería poner música. A mí me gusta escuchar una pieza de unos cinco minutos de duración. Mientras suene la música, los participantes deben empezar a respirar profundamente y de forma regular, con los ojos cerrados. Si es la primera vez que los in-tegrantes del grupo se reúnen para participar en una sesión de este tipo, el guía debería decir unas palabras para explicar brevemente todo el proceso.

Debemos permanecer en silencio y estar muy relajados para poder trabajar con los ángeles y concentrarnos en el amor de Dios, y por este motivo es importante iniciar la reunión meditando. No es necesario sumergirse en un estado de profunda meditación, sino que el objetivo sería más bien reunir las energías de todos los participantes. Después de todo, cuando uno dirige sus plegarias a Dios es mejor estar tan «presente» como sea posible.

Cuando finalice la música, el guía debería pronunciar unas palabras de bienvenida y recordar el objetivo de la reunión, por ejemplo:

Nos hemos reunido para buscar la plenitud, la completa salud de mente, cuerpo, espíritu y relación con nuestro entorno que es nuestro destino como hijos de Dios. En esta reunión pediremos a Dios que envíe a los ángeles de sanación para que permanezcan junto a nosotros y nos iluminen con la gracia de Dios con el fin

217

de que podamos saber qué tipo de sanación necesitamos y seamos capaces de alcanzarla.

Y el guía continúa:

Dios es luz, y aquellos que caminan en la luz se llenan de luz. Te pedimos, querido Dios, que llenes nuestros corazones y mentes de tu luz sanadora para que todo nuestro ser pueda alcanzar la plenitud.

A continuación, alguien debería repartir las velas entre los asistentes, que las encenderán en la llama del cirio que simboliza la luz de Dios. Deben hacerlo todos al mismo tiempo, no de uno en uno, y después volver a sus asientos.

Al llegar a este punto, normalmente dirijo una breve meditación en la que los participantes visualizan la luz del cirio y de su propia vela rodeándoles en forma de una única bóveda de luz protectora. Explico que esta luz es la presencia del Espíritu Santo y que todos deberían intentar renunciar a aquello que interiormente sepan que pertenece al mundo de las tinieblas y no de la luz: odio, egoísmo, envidia, violencia, prejuicios, malicia, vanidad, etc. De este modo podrán estar más receptivos a recibir la sanación. Durante el tiempo que dure la meditación puede sonar música.

Cuando la meditación ha finalizado, el guía dice:

Ahora encenderemos el cirio que representa nuestro deseo de ser curados, nuestro deseo de alcanzar la plenitud, nuestro anhelo de ser libres para cumplir la voluntad de Dios.

Entonces todos juntos deben encender el cirio y volver a sus asientos. La gente que desee hacer plegarias personales en voz alta también debe hacerlo en este momento, recordando siempre que, más que a los ángeles, debemos dirigirlas a Dios.

Invocación de los ángeles

En un grupo de sanación llamamos a nuestros ángeles para que permanezcan junto a nosotros, y su poderosa presencia nos ayude a comunicar nuestras plegarias a Dios, y también para que actúen como transmisores de la sanación de Dios.

En la tradición católica y otras religiones, la letanía es un poderoso sistema para concentrar las mentes de un grupo de personas con un objetivo concreto. He adaptado varias letanías en honor a los ángeles que utilizamos en los grupos de curación. En una letanía, una persona hace las peticiones o invocaciones y todos responden juntos. En algunas ocasiones preferiréis que el guía lea todas las invocaciones, y en otras preferiréis que cada integrante del grupo lea una invocación.

Letanía de los Angeles Sanadores

Dios ordenó a sus santos ángeles
Que te guardaran en todos tus caminos.
Te llevarán en sus brazos
Para que tu pie no tropiece en piedra alguna.
Oh, Dios, creador de todas las cosas
Te rogamos que envíes a tus ángeles para que permanezcan junto a nosotros.
Señor Jesucristo, redentor de la raza humana

Te rogamos que envíes a tus ángeles para que permanezcan junto a nosotros.

Espíritu Santo, que nos iluminas y nos transmites paz

Te rogamos que envíes a tus ángeles para que permanezcan junto a nosotros.

Para que podamos sanar nuestras enfermedades físicas

Te rogamos que envíes a tus ángeles para que permanezcan junto a nosotros.

Para que podamos curarnos de todas las heridas de corazón y espíritu

Te rogamos que envíes a tus ángeles para que permanezcan junto a nosotros.

Para que podamos curarnos de todo lo que nos separa de Ti, de los demás y de nosotros mismos

Te rogamos que envíes a tus ángeles para que permanezcan junto a nosotros.

Para que podamos perdonar a todos los que nos han herido, y recibamos su perdón y el tuyo

Te rogamos que envíes a tus ángeles para que permanezcan junto a nosotros.

Para que nos esforcemos por sanar la Tierra

Te rogamos que envíes a tus ángeles para que permanezcan junto a nosotros.

Sagrados Ángeles, que veláis por nosotros en la Tierra

Permaneced junto a nosotros y ayudadnos a sanar.

Sagrados Ángeles, que nos protegéis del peligro

Permaneced junto a nosotros y ayudadnos a sanar.

Sagrados Ángeles, que sois nuestros maestros y guías

Permaneced junto a nosotros y ayudadnos a sanar.
Sagrados Ángeles, nuestros abogados en el cielo
Permaneced junto a nosotros y ayudadnos a sanar.
Sagrados Ángeles, nuestros amigos y consejeros
Permaneced junto a nosotros y ayudadnos a sanar.
Sagrados Ángeles, que nos ayudáis a lo largo de nuestra vida
Permaneced junto a nosotros y ayudadnos a sanar.
Sagrados Ángeles, que nos amáis con el amor de Dios
Permaneced junto a nosotros y ayudadnos a sanar.
Sagrados Ángeles, que nos transmitís mensajes del Altísimo
Permaneced junto a nosotros y ayudadnos a sanar.
Sagrados Ángeles, que guiáis nuestros corazones hacia Dios
Permaneced junto a nosotros y ayudadnos a sanar.
Sagrados Ángeles, que deseáis nuestra sanación de cuerpo, mente y espíritu
Permaneced junto a nosotros y ayudadnos a sanar.
Sagrados Ángeles, que nos ilumináis con la gracia de Dios para saber qué necesitamos curar
Permaneced junto a nosotros y ayudadnos a sanar.
Sagrado Arcángel Miguel
Permanece junto a nosotros y ayúdanos a sanar.
Sagrado Príncipe de las huestes celestiales
Permanece junto a nosotros y ayúdanos a sanar.
Sagrado Miguel, portador de la claridad y la luz de Dios
Permanece junto a nosotros y ayúdanos a sanar.
Sagrado Miguel, nuestro defensor contra el enemigo

Permanece junto a nosotros y ayúdanos a sanar.
Sagrado Arcángel Gabriel
Permanece junto a nosotros y ayúdanos a sanar.
Sagrado Gabriel, que iluminas nuestras mentes con la Palabra de Dios
Permanece junto a nosotros y ayúdanos a sanar.
Sagrado Gabriel, perfecto modelo de oración
Permanece junto a nosotros y ayúdanos a sanar.
Sagrado Gabriel, revelador de misterios
Permanece junto a nosotros y ayúdanos a sanar.
Arcángel Rafael
Permanece junto a nosotros y ayúdanos a sanar.
Sagrado Rafael, cuyo nombre significa «Dios ha curado»
Permanece junto a nosotros y ayúdanos a sanar.
Sagrado Rafael, uno de los siete ángeles que están en presencia del Altísimo
Permanece junto a nosotros y ayúdanos a sanar.
Sagrado Rafael, que intercedes por nosotros ante Dios
Permanece junto a nosotros y ayúdanos a sanar.
Sagrado Rafael, noble y poderoso mensajero de Dios
Permanece junto a nosotros y ayúdanos a sanar.
Sagrado Rafael, nuestro guía y protector en el viaje de la vida
Permanece junto a nosotros y ayúdanos a sanar.
Sagrado Rafael, patrón de todos aquellos que buscan la curación
Permanece junto a nosotros y ayúdanos a sanar.
Sagrado Rafael, patrón de todos los sanadores
Permanece junto a nosotros y ayúdanos a sanar.

Sagrado Rafael, consuelo de los enfermos
Permanece junto a nosotros y ayúdanos a sanar.
Sagrado Rafael, que guiaste a Tobías en su viaje
Permanece junto a nosotros y ayúdanos a sanar.
Sagrado Rafael, que curaste al padre de Tobías de su ceguera
Permanece junto a nosotros y ayúdanos a sanar.
Sagrado Rafael, que expulsas a los ángeles caídos con el poder de Dios
Permanece junto a nosotros y ayúdanos a sanar.
Sagrado Rafael, encargado de sanar la Tierra y proclamar su sanación
Permanece junto a nosotros y ayúdanos a sanar.
Sagrado Rafael, guardián de la familia y ángel de los matrimonios felices
Permanece junto a nosotros y ayúdanos a sanar.
Todos vosotros, ángeles sanadores
Permaneced junto a nosotros y ayudadnos a sanar.
Bendecid al Señor, todos sus ángeles
Vosotros que sois poderosos, cumplís sus mandatos y obedecéis sus palabras.

Recemos como Jesús nos enseñó:

Padre nuestro que estás en los cielos, santificado sea tu nombre; venga a nosotros tu reino, hágase tu voluntad, así en la Tierra como en el cielo. El pan nuestro de cada día dánosle hoy, y perdona nuestras deudas, así como nosotros perdonamos a nuestros deudores, y no nos dejes caer en la tentación, mas líbranos del mal.
Amén

Dios de amor, que nos proporcionas la vida, a humanos y ángeles, acudimos a ti con la esperanza de sanar, pidiéndote que llenes nuestros corazones, mentes y cuerpos con tu luz. Ilumínanos para que sepamos lo que necesitamos y danos fe para saber que ya nos lo has concedido. Te lo pedimos en nombre de Jesús.

Amén

Al final de la letanía, los participantes encienden el cirio del ángel juntos, y a continuación apagan sus velas y regresan a sus asientos.

Pedir con Fe.

Al llegar a este punto me gusta poner alguna canción que hable de ángeles, como por ejemplo *Calling All Angels* (Llamando a los ángeles) de Eliza Gilkyson, *Angels* (Ángeles) de Enya o *Angels Watching Over Me* (Ángeles que velan por mí) de Amy Grant. Estas canciones ayudan a la gente a concentrarse y pensar en lo que necesitan sanar. Cuando termina la canción, cualquier persona puede formular su petición. Poco a poco, todos los participantes deberían expresar en voz alta su necesidad de sanación. El guía puede animar a los integrantes del grupo para que se expresen sin miedo, tanto si piden curación para un resfriado o una fobia como para la incapacidad de perdonar.

Esta parte de la sesión está pensada para que todos los participantes puedan pedir curación para sí mismos. Las peticiones de curación para otras personas deben dejarse para un segundo turno de palabra. Después de que una persona haya expresado su necesidad en voz alta, el guía puede decir:

Recemos a Dios para que proporcione esta
sanación y pidamos a los ángeles que la transmitan a
_____ .

Lo que sucede a continuación depende de cada grupo. Yo creo firmemente en la imposición de manos como sistema para pedir y recibir la sanación que Dios nos proporciona. Los participantes que deseen hacerlo deberán entrar en contacto físico con la persona que solicite la sanación, mientras que todos los demás se unirán a la petición de esa persona de la forma en que prefieran.

Como me he educado según la tradición católica y la carismática, he participado en muchos grupos de sanación donde el Espíritu Santo ha inspirado a algunos integrantes para hablar en voz alta sobre la necesidad de sanación de alguien con una sabiduría inusual que han recibido de Dios. En ocasiones, algunos participantes han percibido sensaciones visuales muy intensas. También he presenciado cómo algunas personas rezaban en idiomas extraños: plegarias inspiradas por Dios en las que el corazón habla en voz alta pero las palabras son ininteligibles.

Todas las contribuciones llenas de paz, luz y claridad inspiradas por el amor y el deseo de ayudar serán bienvenidas, porque provienen de Dios. En mi primer libro, *Touched by Angels*, hay un capítulo que lleva por título «¿Cómo sabemos que los ángeles han intervenido en nuestra vida?». Este capítulo puede resultar de gran utilidad para ser conscientes de la presencia de los ángeles de Dios.

Al finalizar la plegaria, el guía sabrá cuándo debe

ceder la palabra a otro participante. Normalmente, nadie experimenta una sanación instantánea. Lo que suele ocurrir es que los ángeles de Dios transmiten la di-vina luz de sanación proporcionando sabiduría e iluminación. En general, la persona que ha realizado la petición se siente mejor, confía en la sanación y está menos preocupada por su problema, pero puede tardar al-gún tiempo en comprender lo que debe hacer para alcanzar la sanación completa.

En algunas ocasiones, es posible que alguien esté tan ofuscado por su problema que los espíritus de las tinieblas aprovechen la oportunidad para sembrar ideas de división o resentimiento. Si ocurre esto, el guía debe pedir la ayuda de todos los miembros del grupo para que juntos sean conscientes de la luz divina que protege a todos los participantes. También podéis pedir ayuda a Rafael y Miguel, que tienen el poder de expulsar a los espíritus del mal. Si todos los miembros del grupo estáis de acuerdo, podéis rezar por la sanación del propio espíritu maligno, elevando vuestras plegarias con amor y compasión por ese pobre ser desgraciado. Por mi experiencia, los ángeles de las tinieblas no pueden soportar la compasión humana y se retirarán. Entonces el guía o cualquier otra persona puede ofrecer una plegaria de agradecimiento a Dios, y a continuación podréis reanudar la sesión.

Las plegarias no deben hacerse precipitadamente, y nadie debe verse obligado a solicitar la curación. Nadie debe hacer preguntas sobre la petición de otra persona. A veces es necesario involucrar a otras personas para alcanzar la curación, o tratar temas delicados que no pueden explicarse con claridad. No tiene importancia.

Dios lo sabe todo y el ángel de la guarda de esa persona también. Rafael, el ángel sanador, sabe lo que cada individuo necesita para alcanzar la sanación.

Normalmente, los integrantes del grupo dedican mucha energía a rezar por los demás y a permanecer receptivos a los mensajes que el Espíritu Santo pueda transmitirles. Por este motivo suele ocurrir que, cuando ya se han realizado todas las peticiones personales, los participantes están un poco cansados. Unos momentos de charla informal pueden ser muy útiles antes de iniciar las peticiones para terceras personas.

El sistema más recomendable es que los participantes expresen en voz alta sus peticiones y se realice una única plegaria para todos. Podéis poneros en pie, daros las manos y rezar a Dios, de la forma que cada uno prefiera, pidiendo que envíe a sus ángeles de sanación y luz a vuestros seres queridos.

Sanar la Tierra

Como ya he intentado explicar en el capítulo 9, los ángeles colaboran con nosotros para salvar el planeta de la destrucción. Esto ha hecho que me una a la lucha de los ángeles para sanar la Tierra. En todos los grupos de sanación, siempre reservo un momento especial para rezar por la Tierra.

Cuando la gente todavía está de pie después de haber rezado por otras personas, el guía dirá:

Y ahora recemos por la Tierra, el hermoso planeta en que vivimos, y pidamos a Dios que nos enseñe lo que podemos hacer para sanar nuestro mundo.

Entonces el guía puede iniciar una serie de invocaciones y respuestas rezando por la sanación de la Tierra:

Señor, tú que creaste la Tierra con toda su belleza
Ayúdanos a sanar nuestro planeta.
Envía a tu ángel Rafael para que nos transmita sabiduría y conocimientos
Ayúdanos a sanar nuestro planeta.
Todos los ángeles de Dios, ángeles de la guarda de personas y animales, de plantas y piedras, del agua y la meteorología,
Ayudadnos a sanar nuestro planeta.

Si alguien tiene alguna idea para contribuir a la conservación y sanación de la Tierra, debe compartirla con el resto del grupo en este momento.

Antes de que finalice la reunión, me gusta pedir a los participantes que cantemos todos juntos. Mi canción favorita para este momento es la espiritual titulada *Peace Is Flowing Like a River* (La paz avanza como un río). Encontraréis la letra de esta canción al final del capítulo.

Acción de gracias

A continuación los participantes vuelven a coger sus velas. El guía enciende la suya en el cirio que simboliza la luz de Dios y pasa la llama a la persona que esté a su lado, y así sucesivamente hasta que todos los participantes hayan encendido su vela. Esto

228

representa nuestra gratitud por la forma en que Dios nos cura a través de los ángeles y de los demás.

El guía empieza:

Por la sanación de nuestros cuerpos
Te damos gracias, Señor.
Por la sanación de nuestros pensamientos
Te damos gracias, Señor.
Por la sanación de nuestras almas
Te damos gracias, Señor.
Por la sanación de nuestras relaciones con los demás
Te damos gracias, Señor.
Por la luz divina que expulsa las tinieblas para que la sanación pueda llevarse a cabo
Te damos gracias, Señor.
Por la sanación continuada que creemos que experimentaremos interior y exteriormente
Te damos gracias, Señor.
Por la compasión de tus ángeles, que nunca se cansan de trabajar para que podamos alcanzar la sanación
Te damos gracias, Señor.
Por la sanación de nuestro planeta
Te damos gracias, Señor.
Todos juntos concluimos:
Angel de la guarda, dulce compañía, que el amor de Dios vienes a confiarme, permanece junto a mí de noche y de día para iluminarme, protegerme y guiarme. Amén.

Acto seguido, los participantes apagan sus velas. La reunión ha llegado a su fin. Como estas reuniones suelen celebrarse regularmente, siempre van seguidas de una tertulia donde a menudo se mantienen animadas conversaciones sobre lo que la gente ha aprendido acerca de la sanación y de otros temas gracias a la ayu-da de los ángeles. En ocasiones se explican proyectos para preservar el medio ambiente o se cuentan experiencias sanadoras que son fruto de la reunión anterior.

Personalmente me gusta dejar los tres cirios (que simbolizan la Luz, la Sanación y los Ángeles) encendidos hasta que todo el mundo se haya marchado. Los cirios encendidos nos recuerdan que Dios todavía está con nosotros y que los ángeles velan por nuestro bien, y también refuerzan nuestro anhelo de sanación.

Peace Is Flowing Like a River

1. Peace is flowing like a river,
   Flowing out through you and me,
   Flowing out into the desert,
   Setting all the captives free.
2. Love is flowing like a river, etc.
3. Healing's flowing like a river, etc.

La paz avanza como un río

1. La paz avanza como un río,
   avanza en ti y en mí,
   avanza en el desierto
   y libera a todos los cautivos.
2. El amor avanza como un río, etc.
3. La sanación avanza como un río, etc.

11

ANGELWATCHING

Pues él ordenó a sus santos ángeles que te guardaran en todos tus caminos; te llevarán en sus brazos para que tu pie no tropiece en piedra alguna.

Salmos 91, 11-12

Los ángeles están a nuestro alrededor. Una multitud de seres celestiales enviados por Dios velan por nuestro crecimiento espiritual y por el desarrollo del mundo. La fe cristiana enseña que cada persona tiene a su ángel que vela por ella y le habla del amor de Dios en susurros al oído del corazón.

Los rabinos judíos de la época medieval enseñaban que existía un ángel para todas las cosas: árboles, granizo, nieve, seda, queso.

El islam considera que todos tenemos dos ángeles de la guarda, doblando así el número de ayudantes celestiales en la Tierra.

Y las tres religiones creen que, aunque muchos ángeles estén destinados a trabajar en este planeta, existen muchos más que habitan en el reino de los cielos, desempeñando funciones propias del cielo y adorando a Dios constantemente. Los musulmanes creen que los querubines están tan extasiados contemplando el rostro de Dios que ni siquiera saben que ha creado la Tierra.

Los ángeles me producen una fascinación infinita. Alguien dijo en una ocasión que el estudio propio de la humanidad es el hombre, pero yo me inclino más por los ángeles: quiénes son, qué hacen, cómo y por qué lo hacen y qué pueden enseñarnos. Tal vez los ángeles del cielo también tienen un dicho: el estudio propio de los ángeles es la humanidad.

Creo que al igual que podemos ver la belleza de Dios simplemente mirando a nuestro alrededor, también podemos ver la actividad de los ángeles que están a su servicio observando nuestro entorno. Sólo tenemos que aprender a mirar y observar.

Pero muchas veces me he preguntado cómo podemos hacerlo. Los ángeles viven en el cielo, y eso queda muy lejos.

Debo confesar que no creo que realmente sea así. En una ocasión, Jesús dijo a sus discípulos: «¡Mirad! El reino de Dios está a vuestro alrededor, entre vosotros». Para mí esto significa que la Tierra donde vivimos, respiramos y luchamos es una parte del cielo, igual que un vestíbulo o un porche también forman parte de una casa, aunque tal vez esta parte sea diferente del resto de la vivienda, y los que estén en el vestíbulo sólo puedan entrever lo que sucede en el resto de la casa.

Yo no creo que el cielo esté en otro lugar. Dios no alarga su brazo desde el otro lado de la nubes. Los ángeles no atraviesan la atmósfera volando para llegar a la Tierra. Dios y los ángeles están junto a nosotros igual que lo pueda estar otra persona.

El problema de los humanos que estamos en la Tierra es que nuestra capacidad de percepción es tan limitada que nos resulta muy difícil reconocer las obras de Dios y de los ángeles a menos que sean evidentes. Estamos tan agobiados con nuestros problemas, preocupaciones y los efectos del mal y del pecado que somos incapaces de oír la voz de Dios o los susurros de los ángeles.

A pesar de ser nosotros quienes debemos amar, proteger y vivir en la Tierra, los ángeles intervienen regularmente en nuestro mundo y nuestras vidas. Podemos ver lo que hacen observando nuestro entorno: si nos protegen de algún mal o nos inspiran para que amemos más a Dios y a todos los que nos rodean. Como si fuéramos detectives, podemos buscar las huellas de los ángeles, por decirlo así, y aprender muchas cosas acerca de quiénes son y cuáles son sus objetivos.

Saber lo que los ángeles hacen en su medio propio es mucho más difícil. Tenemos que confiar en las visiones de aquellos privilegiados que han entrado en su reino y han regresado a nuestra dimensión, y aquellos que han recibido la inspiración del Espíritu de Dios para hablar y escribir sobre este tema.

Hace tres años creé la Fundación AngelWatch para buscar huellas de los ángeles en la arena del tiempo, para analizar cómo intervienen en nuestro mundo. Tal vez, como Sherlock Holmes, soy la única «detective» del mundo que se interesa por el tema de los ángeles.

(Estoy bromeando: si estás leyendo esto, tú también deseas conocer más cosas sobre los ángeles.)

Mi objetivo era investigar, de todas las formas posibles, acerca de los ángeles que están a nuestro alrededor y difundir esa información, principalmente a través de *AngelWatch*, la única revista del mundo sobre ángeles. (Encontré una revista llamada *Guardian Engel* y, como *Engel* significa «ángel» en alemán, pensé que se trataría de otra revista interesada en ángeles, pero resultó ser la revista del club de fans de Engelbert Humperdinck. Sin embargo, más adelante descubrí que el nombre Engelbert significa «ángel brillante», así pues mi investigación no fracasó del todo.)

La revista *AngelWatch* contiene:

—vivencias de visitas de ángeles relatadas por las personas que las han experimentado,

—reseñas de todos los libros, películas, etc., sobre ángeles, que aparecen en el mercado,

—artículos sobre ángeles escritos desde el punto de vista de diferentes religiones y filosofías,

—artículos informales sobre temas como los ángeles en la música rock o plantas que tienen nombre de ángel,

—columnas de publicación regular que tratan temas como la presencia de ángeles en las escrituras y descripciones de ángeles en la literatura y a lo largo de la historia,

—editorial y un espacio reservado a las cartas de los lectores, y

—muchas propuestas para saber más acerca de los ángeles.

La Fundación AngelWatch busca ángeles en las vi-

234

das de la gente, en las religiones del mundo, en mitologías y leyendas, en las películas y la música, en los periódicos y los supermercados. Busca activamente el testimonio de personas que hayan tenido contacto con estos mensajeros celestiales, porque cuantos más testimonios tengamos, más aprenderemos sobre estos seres y mejor comprenderemos la voluntad de Dios.

La Fundación AngelWatch también se esfuerza por reunir a las personas que se interesan por los ángeles. La filial AngelWatch Network actúa como centro de información sobre ángeles en todo el mundo. Como directora de la fundación, organizo conferencias y talleres sobre ángeles, además de escribir y publicar la revista *AngelWatch*, que contiene una amplia sección para orientar a aquellas personas que deseen ponerse en contacto con otras organizaciones y personas relacionadas con ángeles.

Como directora de la Fundación AngelWatch, en varias ocasiones me han pedido que actuara como asesora para periodistas, investigadores, programas de televisión y productores de cine (e incluso para una empresa de tarjetas de felicitación que deseaban saber si a la gente le gustaría que hubiera más tarjetas con imágenes de ángeles). Y, lo que es más importante, AngelWatch ha contestado a miles de peticiones de información sobre ángeles.

El objetivo de la Fundación AngelWatch es investigar la naturaleza y las obras de los ángeles y difundir información sobre este tema. La fundación publica una revista bimensual sobre ángeles a través de su filial AngelWatch Network. También me proporciona oportunidades para hablar sobre ángeles y organizar seminarios y talleres. Siempre busco y acepto la oportunidad de informar sobre la labor de los ángeles en nuestro mundo y dar a conocer las actividades de la fundación.

A partir de 1994, la Fundación AngelWatch también organizará una celebración anual en honor de una persona o una organización cuya conducta o actividades sean dignas de «ángeles disfrazados». El premio Ángel de la Tierra se concederá por primera vez en agosto de 1994, en colaboración con la organización Sea Angel por un Día. Se espera que premiando a gente que haya actuado con tanto amor como los ángeles, más personas se animarán a actuar impulsa- das por el amor al prójimo y a nuestro planeta para conseguir que este mundo sea mejor para todos no-sotros.

La Fundación AngelWatch también produce y proporciona cintas de audio y vídeo y otros tipos de material similares sobre ángeles, y posee una biblioteca sobre el tema que está a disposición de cualquier persona interesada.

La Fundación AngelWatch ha sido recientemente aprobada como organización no lucrativa 501c(3), algo que yo había intentado desde que fundé la organización. Los ingresos de la fundación provienen de las suscripciones de la revista *AngelWatch* y de donaciones deducibles de impuestos. Ningún miembro de la fundación recibe un sueldo ni ningún tipo de remuneración. Doce dólares de los dieciséis que cuesta cada suscripción se utilizan para producir y distribuir la revista cada dos meses. El resto se destina a adquirir material para la biblioteca y cubrir los gastos de mantenimiento de las oficinas, como la compra de papel y el pago de facturas de teléfono.

La Fundación AngelWatch dispone de un presupuesto muy limitado. En caso de estar interesado en contribuir económicamente o de otra forma, tu donación será deducible de impuestos. Me complacerá enviarte la «lista de deseos» de AngelWatch, donde encontrarás artículos, algunos más modestos y otros más ambiciosos, que la fundación necesita.

Si deseas recibir más información sobre la Fundación AngelWatch o sobre la revista *AngelWatch*, escríbenos indicando tus datos a: AngelWatch, P.O. Box 1397, Mountainside, NJ 07092, USA.

Si deseas suscribirte a la revista *AngelWatch*, la cuota es de 16 dólares al año para Estados Unidos, 20 dólares para Canadá o Méjico y 25 dólares para cualquier otro país del mundo por vía aérea. Los cheques deben extenderse a nombre de AngelWatch y enviarlos a AngelWatch, P.O. Box 1397, Mountainside, NJ 07092, USA. (Obviamente, las editoriales Warner Books y Obelisco no son las responsables de proporcionar estos servicios y productos.) Si conoces a alguien que se interese por el tema de los ángeles, por favor, invítale a ponerse en contacto conmigo.

Recuerda que cuanto más aprendamos sobre la labor de los ángeles y sobre los mensajes que nos transmiten, más aprenderemos sobre el plan de Dios para todo el universo y más avanzaremos en nuestro camino hacia la comprensión del misterio de lo divino.